谈恋爱之前
谈什么

李 元

著

作家出版社

图书在版编目（CIP）数据

谈恋爱之前谈什么/李元著. －北京：作家出版社，2016. 1

ISBN 978 - 7 - 5063 - 8595 - 4

Ⅰ.①谈…Ⅱ.①李…Ⅲ.①故事－作品集－中国－当代 Ⅳ.①I247.8

中国版本图书馆 CIP 数据核字（2015）第 290852 号

谈恋爱之前谈什么

作　　者：李　元

责任编辑：省登宇

装帧设计：李诗悦

封面绘图：黄雷蕾 Linali

出版发行：作家出版社

社　　址：北京农展馆南里 10 号　　邮编：100125

电话传真：86 - 10 - 65930756（出版发行部）

　　　　　86 - 10 - 65004079（总编室）

　　　　　86 - 10 - 65015116（邮购部）

E - mail：zuojia@ zuojia. net. cn

http://www. haozuojia. com（作家在线）

印　　刷：三河市华业印务有限公司

成品尺寸：142 × 210

字　　数：150 千

印　　张：5.875

版　　次：2016 年 1 月第 1 版

印　　次：2016 年 1 月第 1 次印刷

ISBN　978 - 7 - 5063 - 8595 - 4

定　　价：28.00 元

目录

三文鱼披萨

茂名南路上的锦江饭店门口，车子排着队送客，五点多开始都是下客的车，到了七八点，这些车子再绕回门口，一个个看不清面容的身影最后再寒暄几句，很快地钻到车里，油门一踩，朝后门出去了，留下窗户里那莹莹亮光的几栋房子。有的车走淮海路，有的走长乐路，这个时候路上车也不堵，行人大多是慢悠悠出来荡马路的，任何人都很容易被这种挤出来的惬意所打动，然后走进国泰看一部电影再回家。

在璐璐看来，回到一年前，也是此地，热闹都是相同的，只是包房不同而已，当时她在一个香港来的剧组里实习，他们最终的庆功宴也是在这里举行。这场戏在剧场里上演了一周，确实引起了这里观众的注意，但时间不长久。男女主演是时下正走红的，导演也小有名气。虽然璐璐自己也是学导演的，但在这个团队里只是一个闲杂工，她跟着一个剧务到处走，一会儿盒饭送迟了，一会儿戏服不见了，一会儿演员的隐形眼镜干了……都是和主题沾边的小事儿，她资历尚浅，但她以为眼前的这些都是必须要历经的，她并不排斥必要的折损。

当然了，这样来来回回，她和一起工作的那些人也混了个半熟，她也算聪明，学着那些工作人员的样子讲话打招呼拿腔拿调，才几天就不显突兀了。

最后一天表演完毕，她本以为那个叫小五的摄像师会和她建立起长久的友谊，这个人工作时很关注她，是那种表露明显的关心，但这顿饭后小五对她的热情骤减，璐璐忽然明白，这就是她的那些早早混社会的同学告诉她的，所谓的剧组感情。

这一晚，剧组的人到这里开了两桌，带璐璐的那个剧务让她跟着一起来。这戏的导演看到璐璐，他的身边站着几个同事，他越过他们向璐璐表示感谢，感谢她这段时间的帮助，身边的两人默不作声地等着张宇继续加入之前的谈话。

"没事的，我也学到很多东西的。"璐璐受宠若惊。

"哦对了，再说一遍，你叫什么？"

"璐璐。"

"璐璐，好的，谢谢你！"

张宇记不得璐璐的名字，倒是璐璐清晰地记得这些日子里他的一举一动，这个人工作时是很较真的，尤其在细枝末节上，一认真就急躁起来。这戏的本子也是他亲自写的，所以边导戏边改剧本，排得顺利时他轻松悠闲地坐着指点，出现几道难跨过去的坎儿时，他就皱着眉头一脸严肃，亲自上阵演给那两个稚嫩的演员看，来来回回十几遍都达不到要求。

年轻的演员满头大汗不知所措时，他倒忽然来一句，要不休息一下，我再看看剧本。

那晚气氛轻松愉悦，空酒瓶在地上排成一列，桌上的菜也都吃空了，几个香港人醉醺醺地挨着彼此，用香港话唧唧喳喳地讲着一大串璐璐听不懂的话，忽然又爆笑起来，笑着笑着又趴下了，尚还有些清醒的一人抬头环顾四周，看到同事都东倒西歪，就又安心地闭上了眼睛。负责这间包厢的服务员是个上了年纪的中年女人，她面无表情地看着房间里的年轻人。

大家耗到九点半才陆陆续续离开，一些半醉半醒的人也睡得差不多了，精神又回来一些。璐璐看到小五和他的同事们东摇西摆着都出去了，也悻悻地离去。走出大门口的时候，张宇走在璐璐后面，拍了拍她的肩膀。

"上海晚上有些什么好玩的？"他问。

"你问我？"璐璐故作无辜的模样。

"对的，我是在问你。你不是上海人吗？那你应该比我熟悉这里啊。"

"嗯，对。你是想热闹还是安静？"

"都好。"他伸了个懒腰，"算了，还是安静点。"

璐璐环顾下四周，其他香港人都已没了踪影，只剩下张宇和自己。她叫了车，让司机沿着静安区这块开了一圈，她让车停在富民路。这条马路九十点钟还陆陆续续有行人往来，一旦过十点半，差不多就可以随心所欲地走路了。

璐璐说："我实在不知道你想看些什么，不过这里我觉得还是可以的。"

"吃宵夜吗？"

璐璐回头一看，自己站在一家不起眼的餐厅前面，"不对不对，我们是去这里。"她向右走了两步，走到另一扇门前。

"先去里面看看。"张宇一把将璐璐拉回到之前的餐厅门口，走了进去。餐厅是不大的，装潢就像法国街边那些小的餐厅或者咖啡馆一样，做旧的装修，墙上挂了些油画，有四人的小桌，也有好几人的长桌，吧台后边放着整墙的酒瓶。他们在最里面的四人桌前坐下，隔着玻璃门看见一个正在看电脑的女人，过了一会儿女人对面坐下一个平头的男人，女人就合上了电脑和男人讲话，起先面无表情的脸上忽然现出一丝笑意。

再过去是一张长桌，坐着四个老外，他们凑在一起窃窃窣窣地说个不停，但是隔着玻璃门，璐璐什么也听不到，只能听见时隐时现的笑声。

"你刚刚想带我去什么地方？"张宇问。

"隔壁一个画廊。"

"哦。里面有什么？"

"听说最近有一个展在那里，我收到邮件的，看了一下介绍，以为你会感兴趣。"

"那等一下去看好了。"

璐璐看看手机上的时间，"大概已经关门了，不过明天这里也开放的。"她抬起头看着张宇，四目相对，忽然她说："不对！你们是明天的飞机回香港呀！我忘了……"

服务生走过来，"菜单在黑板上面。"

张宇转了个身看了看黑板上的字，指着披萨栏里的倒数第二项说，就这个好了。

"三文鱼的……好，还需要什么？"

"这个。"张宇指着红酒说。

"好的，要加热吗？"

"你要热的冷的？"张宇转过头问璐璐。

"随便。"璐璐说。

"加热。"张宇对服务生说。

他们喝到三分之一瓶时，披萨上来了。椭圆形的薄饼，和以往吃到的没有任何区别，只是璐璐从来没有点过三文鱼做的，她天生不爱吃生的食物，只是这披萨虽说上面是切成薄片的三文鱼，但因为加了芝士以及调味，混杂在一起就吃不出鱼肉的生，肉里夹带的腥也和芝士的浓厚味道融在一起，奶香味儿反倒更浓。

第三块披萨下肚的时候，璐璐问张宇："你到底几岁啊？"

"你觉得呢？"

"三十几。"

"我足够老啦。"

"如何老法？"

"老到你一听到我的年龄，就想让我给你买珠宝。"

"但其实你的年龄并不大，对吧？"璐璐问他，张宇没有作答，璐璐认为是默认，便继续说："那你现在混得还蛮不错的哦！"

"有得有失啊，每个人或多或少都会为了一些东西而舍弃另一些，但总体来说，我还是很幸运的。"

"哦，幸运……"

"就像看网球赛，球飞到半空中的时候你不知道它会落在哪里，运气好的话，球飞过去，落在线内。"

然后谁都没再多说什么，那晚璐璐睡在张宇酒店的房间里，即便晚上的红酒让她头昏脑涨，但意识是清醒的，睡着的前一刻她还肯定地知道，明天张宇就要和剧组一同回香港了。

半夜璐璐醒来，在床上摸到一件张宇的衬衫，套上后她起床给自己倒了杯水，地灯微弱的光射进房间里，映出张宇躺在床上的轮廓，让她想到以前看过的那部叫《赛末点》的电影，一个男人为了自己富裕的未来，用猎枪杀死了已经怀孕的情人。大概是因为扮演情人的斯嘉丽·约翰逊实在太美，因此她的死比别人轰轰烈烈地死掉还要有戏剧性。

她重新在张宇身边躺下，张宇在熟睡，没有翻身。她醒了很久，像是在梦中，又迷迷糊糊睡着，再次醒来时房间里已经大亮，窗帘拉开一半，她一个人躺在床上，身边是空的。她起身走进卫生间，张宇站在里面。

"你没有走？不是今天的飞机吗？"璐璐问他。

"我想再多留几天。"

"干什么？"

"工作。"

"你要说是为了我留下来的，我会再多陪你玩几天的。"

"那就再多陪我玩几天。"

"嗯。"璐璐拆开了一次性牙刷的包装。

　　一周接着又一周，他们一起吃早饭、一起乘地铁、一起看戏、一起逛书店，到了晚上又一起回到张宇的房间里。

　　有一天中午，他们还在那天晚上吃三文鱼披萨的餐厅里见了一个朋友，姓金，是个制作人，和张宇在香港认识的，听说他还在内地。

　　在金制作面前，他们没有明说彼此的关系，张宇只是以朋友的身份介绍他们。

　　金制作是个年近四十的男人，但看上去比张宇苍老一些，大概是因为职业需要东奔西跑经常出差的缘故，最近开始做歌剧这一块。

　　他对张宇说："你也知道，现在的歌剧只是起步阶段，许多都不成熟，要一点点来，今天晚上的这个，你们去看看好啦，要是不喜欢，就不要告诉我了。"

　　"就没想过用当下的热门题材？我看现在许多话剧都是改编自电影或电视剧。"璐璐说。

　　"我就是做这个的，让我怎么办？"金制作略带情绪地回答璐璐，显然他表明自己是因为张宇的关系才会和璐璐坐在同一张桌上吃饭，但没有继续要和她联络的意思，也不会将她和张宇一视同仁，至少现在是这样。

　　"上次和我们吃饭的那个女演员现在怎么样了？"张宇忽然

问，璐璐看了一眼金老师，然后切了一块披萨放到嘴里。

"好像在北京吧，前些日子到英国去参加什么戏剧节，刚回来，怎么了？"

"没什么。"

三人陷入了沉默，璐璐尝不出今天披萨里的味道，到底是三文鱼的重一些，还是芝士的重一些，她只能感受到牙齿在研磨薄饼。今天的鱼肉有点干，来不及顾及味道，璐璐就灌了一口红茶下去，没想到鱼味更大。

三人吃得差不多了，刚好金制作接到一个电话，就匆匆走了，走之前在桌上放了两张今晚的戏票，大家互道了一句，"那就晚上见啦！"

金制作离开前，璐璐还礼貌地要了他的一张名片，皱巴巴的。

"什么女演员？"等到金制作离开有一会儿了，璐璐问张宇。

"什么什么女演员，你说我刚刚问他的？"

"嗯，你们……"

"这个女的前些日子我们找她来演一个配角，戏份不多，但是需要些功力的，她推辞了，我还想是什么原因呢，原来是出国了。

"哦。"

"干什么？"

"今天的披萨味道没上次的好。"璐璐轻轻打了个嗝。

现在，他们之间形成了一个默契，就是谁都不提张宇离开的
时间。他们照旧见面约会，好像自此之后的每一天都能如此风平
浪静。后来张宇索性租了个短期的房子住，即便在这里，他也能
做到繁忙如在香港，在璐璐看来，许多人都是自己找上门的，张
宇只要坐在那里等着他们就好。

这算成功吗？大概他运气比较好。璐璐在等他回家的时候心
里想，她打开张宇的电脑，只是很随机的动作，她也从未想过为
何会打开电脑，就像走楼梯时会伸手摸一下扶手那样无用又自然
的动作。

电脑启动后一个对话框跳出来，需要输入密码，璐璐点了关
机的按钮。张宇不在香港的这段时间里，所有的通讯除了手机就
是这台电脑，她不好奇这个导演会和怎样的人联络，她很想知道
他们是用何种方法铺展开的关系，有时候她看到他飞快地打字，
或者浏览视频，她会问张宇这都是什么，张宇通常回答她两个字：
工作。

或许张宇真的是个很幸运的人，由于上次见面的金制作的牵
线搭桥，张宇应邀排演一出新戏，制作人唾沫横飞地解释那些天
花乱坠的宣传语，张宇以该有的态度予以回复，那人一走张宇又
面对电脑，璐璐问："要我帮忙吗？"

张宇没有理睬，过了一会儿他抬起头问："你说什么？"

璐璐说："我问你要我帮忙吗。"

"哦，不用。"张宇回答她。然后他起身伸了个懒腰，套上外套，开门要出去。

张宇本以为璐璐会责问他，为什么总是外出，今晚又准备去哪里。但她看到璐璐正安静地坐在沙发上翻着一本小说，他退回来两步，"喂，我今晚要出去一下，没事的话你可以先走。"

"拜拜哦。"

璐璐本是想装出一副毫不在意的样子，让他担心让他好奇让他为自己的行为收敛一点，但当她发现自己正在阅读这本小说的时候，完全是因为小说吸引了她，于是自然而然地说出那句"拜拜哦"。

看到天色还早，璐璐准备回家了，她收拾起散落在地上、桌子上、沙发里的她的东西，一股脑塞进包里，离开前她的手机响起，张宇打来的，她又满怀期待地接起电话，她想只要他一声令下，她还是能恢复往日的热情的。她现在多么希望张宇在电话里说的是他需要她，哪怕是工作的助手、无聊的消遣，即使只是应酬时身边的伴，可她听到张宇一边气喘吁吁一边说："帮忙打开我电脑，有个文件没传！"

"哦……"璐璐失落地说。

"哎呀你快点，就你动作慢！"电话里张宇带着温缊的怒火，璐璐知道这火不是冲她的，但她莫名其妙成为发泄的对象，换做一个月前，哪怕几周之前，张宇还不大会用这种方式来对待她的。

"开了，你别急。"璐璐等着电脑启动，然后页面跳出一个对话框。"要你的密码。"

"我名字的拼音。"

"啊？真的？"

"真的。"

密码是对的，璐璐顺着张宇的指示，把剩下的文件都传了过去，然后张宇没说再见就匆匆挂了电话，璐璐关了电脑，回家了，路过那家他们常去的餐厅，她透过橱窗看到里面一半以上的位子都满了，但桌上都只是暗色调，今天似乎没有人有胃口去尝那道鱼腥混杂芝士味的披萨。服务员看到门外经过的璐璐，点头示意，璐璐恍然发现，最近新认识的人中，只有这个服务员不在乎她的身边是否有着张宇，服务员只知道，这个人曾是他们的顾客。

这天晚一些的时候，张宇打来电话，璐璐没有听到，并不是她故意不接，过了一个小时张宇才打来第二通，这回璐璐听到了。张宇问她在做什么，璐璐说："工作。"

"哈，你还有工作啊。"电话里的张宇像是玩笑的语气讲道。

璐璐啪地挂了电话，待张宇再次打来，璐璐忍无可忍将这几天的怨气全挑明，当时领着璐璐在剧场熟悉环境的剧务女人，应该怎么也想不到有一天璐璐会有机会向这个导演发火。

终于有一天，他们在彼此互不联络的几天之后，张宇在电话那头平静地说："既然这样，我们彼此都知道早晚要分开两地，我本以为你能在这短暂的时光里感到欢乐的。"

他官方的语气让璐璐感到失望，同时也浇灭了她刚才的愤怒。继而他们平静地交流了一番，平静地选择分手。奇怪的是，倒是这一刻让璐璐忽然有了存在感，她跑到楼下的水果摊，买了一串香蕉，然后边吃香蕉边开始规划自己的生活，这段日子缺的课程、缺的工作、缺的友谊交际需要补回，她准备回到原先的轨迹上按部就班。

她已知自己在事业上并没有张宇那么幸运，她需要经历那些必要的过程，经历那些白手起家的人都要经历的一切折损，在折损中依旧认同那些单纯的想法，留在心里，但不外露，总之她要从头做起。

很快，第二天的下午，她接到一个参加展览的工作，需要层层面试，她通过了，那里的组织者告诉她，这将是一个很辛苦的工作。她想总归是有收获的，任何前途都是伟大的征程，不是吗？

对方约她在一家小餐馆碰头，告知工作安排。她早早儿就到了，这是一家寻常的中餐馆，无论桌子凳子或是墙壁看上去都油腻腻的，一股油耗气蔓延其中，她坐在离门最近的位子上，以便呼吸到街上新鲜的空气。在房间的一角，放着一台小电视，那种年久无修但很不容易损坏的小电视，即使没人观看，它也马不停蹄地传送着新闻，电视台的选择一般都是依着店里的打工者，他们大多喜欢看外地台的电视剧或者综艺节目，这能毫不费力地消磨掉很多时间，并不觉得无趣，至少对他们而言。现在电视调到了娱乐新闻的频道，电视屏幕把主持人的脸压得圆圆的，圆圆的脸字正腔圆地播报着娱乐消息。

璐璐看到一张熟悉的面孔出现在新闻里，熟悉的眼睛、熟悉的鼻梁、熟悉的上嘴唇，看到屏幕里的张宇，她像被一道闪电击中，之后的画面里又出现了更年轻一些的他的容貌，从画面中缓过神，眯起眼睛仔细看标题———"青年导演张宇在内地某工作室心脏病突发不幸逝世"。因为是新起之秀，因为年轻，因为有为，因为他的戏刚刚被众人知道，他死亡的消息自然是放在了节目最显眼的位置，和那些奋斗一辈子的圈内人一样，是头条新闻。

璐璐有点不确定自己看到的新闻是否属实，她胸口像闷住了，但手臂在发抖，这台电视的外壳实在太旧了，弄得好像播报的新闻都是几年前的。

她拎起包叫上车，来到张宇租赁的房子，就和她几天前离开时一模一样，他似乎从未回来过，报纸杂志依旧散落在茶几下，水杯也放在水槽里没来得及清洗，房间的桌上各种电线相互缠绕着彼此，缝隙间夹杂着一层稀薄的灰，璐璐走进房间，拿起他的电脑，走出房间，锁上门，离开了。

重新叫了辆出租车，再次回到之前的小餐馆，和她相约的人已经到了，她赶忙上前道歉，"不好意思，我来晚了，今天路况不太好。"

"没事。"对方是个爽快的女人。

当天晚上，璐璐翻出那天吃三文鱼披萨时问金制作要来的名片，他们约在第二天中午，依旧是之前吃三文鱼披萨的那家店见面，像一种默契的约定，他们之间从未提起过张宇，她递上一个U盘，插在金制作的电脑里，她看着他打开文件，一行行阅读着那些她之前才看过一遍的文字，她不担心金制作看出破绽，她担心的是金制作否定她带来的文档。她盯着他的眉头，紧锁，松开，叹了口气。

"你这个我看过了，是你写的？"

"是。"

"没想到。"

"什么，什么没想到？"

"不像女孩子写的。还有一点很好，你把拍摄预算都写上了。"

"真的吗？"

"你写的你都忘了？"

眼下，锦江的一间包间里，每个人脸上都洋溢着欢乐的笑容，
透过窗子依稀能看到对面马勒别墅草坪上派对剩下的桌子凳子，
璐璐觉得一切又回到了开始似的。起风了，把窗户关上一扇，玻
璃上映出身后的那群工作伙伴。金制作匆匆赶来，坐在璐璐旁边，
鼓励地拍了拍她的肩膀。

所有的掌声都让璐璐头皮发麻，她本以为现世的掌声是她所
倾心的，当掌声响起来，她便开始畏惧，如同坠落在一个已知的
陷阱，等待的不过是另一种猛烈的撞击。每一下掌声都像是在嘲
讽她的幸运。

她离开聚餐的圆桌，走到窗前，正是夜色朦胧时，窗外的灯
火逐渐暗了下去。

闲着也是闲着，不如养只狗

　　阿吉给我讲过很多故事，像他小学参加校运动会赤脚跑步的
故事、他初中和兄弟打架的故事、他高中追女教师的故事，从小
说到大，直至眼下我们认识前后的这些年。

　　这些故事中不乏索然无味的，但每当他唾沫横飞满脸兴奋毫
无倦意地跟我讲故事的时候，我都会装出一副很感兴趣的样子在
听，在字句的间隙我还会说"哦？""是吗？""这样啊！""真的
啊？"之类的语气词或疑问句，听上去我好像真的能从那些故事
里得到启发似的。为了让他满意我一直在假装的还不止这些事，
我想要是我和他再多谈几年恋爱我一定够格去参加那些表演基础
班的。

我甚至觉得他愈发强大的自信心来源于我伪装的专注。

说真的，他说的故事因为太过平淡无奇，我能记住的还真不多。有时候我还蛮想知道关于他的故事，他自己的故事，而不是关于其他人的，比如他父母离婚后他是怎么度过的，比如他交往过的女孩，这些我特别想知道的故事他几乎都不讲，我当然也不想像个充满好奇的女孩要把他吃掉似的逼他讲出许多曾经。所以剩下的故事自然就勾不起我的兴趣，但依稀还能想起几个，比如那天我们吃完汉堡之后，去了剧院旁边那家酒吧时他给我讲的几个故事。

我记得那天我要了一杯玛格丽特，阿吉他要了杯什么我忘了，他面前放的不是高脚杯所以不是红酒也不是鸡尾酒，可能是威士忌，也可能是可口可乐。

那个夜晚，一对遛狗的老外从酒吧的落地玻璃窗外经过，那狗脖子上拴的铃铛叮咚作响，又击中了他的表达欲，他滔滔不绝地讲起了新的故事。他说，我也养过很多只狗。

我说，我知道啊，你家里不是有妞妞和宝宝了吗？

对，我是说在它们之前，其实我也养过很多只狗，我还养过一只藏獒，你知道吗？他边说边把我被风吹乱的几缕头发拨到了我的耳后。

我抿了一口玛格丽特，杯子边缘撒的盐让我嘴唇上被自己咬破的伤口隐隐作痛，我说，真哒？你还养过这种狗？不是说城市里不许养野兽的吗？

真的！它第一天来我家的时候，我还不住在公寓楼里，我家下面有个院子，我围了个小铁栏，让它待在里面。它来我家的头天晚上，我怕它饿，就从冰箱里找出一点猪肉来给它吃，我拿着肉走进铁栏的另一边，我想，给它吃的，不让它饿肚子，它就知道我是善意的。

它万一不喜欢猪肉呢？我问。

这个没关系，我先得到它的信任，然后就能控制它的饮食，它慢慢就能看出来我是主人，就得听我的了，我给它猪肉它就得吃猪肉。对付这种野兽，就得这么干。

阿吉还不知是威士忌来了，他把杯子往边上一放，继续说，但是我哪知道，它这么没有安全感。

它要什么安全感，跟它在一起，你才没有安全感好吗？我说。

不不不，他摆摆手对我说，我拿着肉下去，还没反应过来它就扑到我身上，咬住了我的手臂，你看看，这就是它缺乏安全感的表现。

你的意思是，它是因为觉得你要进攻它，所以才来进攻你的咯？

对！不晓得它怎么想的，我爱它都来不及，怎么会伤害它呢？他拿起杯子刚准备喝一口，才送到嘴边，却又放了下来，继续说，后来啊，我每天都给它送肉吃，送了一个多月，它才对我温柔起来。有几次我叫朋友来家里玩，他们看到我的藏獒时那个眼神你是没看到，羡慕嫉妒恨啊！阿吉说着说着脸上露出笑容。

你确定他们没说"你疯掉啦，居然养藏獒"之类的？我问道。

没有啊，他们说我和藏獒越长越像了呢。他自己说着说着皱起眉头，觉得哪儿有点不对劲。

额……你说说，再后来呢？我问。

他喝了一口不知道是威士忌还是可口可乐的东西，后来啊，唉，水土不服，我给送回高原了，其实它的血统也不怎么纯，还有些胖，这么胖的狗怎么能那么矫情？

是你把人家送回去的，就不要说人家的不是了，人家还憋着没咬你呢！

他没说话，侧过身去看吧台上电视里直播的体育新闻。哦！他忽然一拍大腿跟我说，我还养过一只京巴！

个子小小，面部扁平的那种？我问。

嗯，但它的毛很长，我最喜欢它的毛发还带点微卷。我带它出门遛弯儿，不知从哪里跑来一群小鸡。不对不对，是它发现了一群小鸡。

什么乱七八糟的啊？我说。

它就跑到小鸡群里，追着小鸡跑，一开始是它在追，后来变成了小鸡追它，那些小鸡好像一个个都变成了斗鸡种子选手，对着我的京巴一阵猛攻，它没办法啦，只好跑到我这边来。我一看，乖乖，它那个朝天鼻上被啄了好几个洞。

好可怜哦。我附和着他叹息道。

可怜什么，我跟你说，知狗知面不知心。他愤愤道。

怎么回事？

我把这只狗从鸡群中救出，我想那我索性好好地养它，我睡觉它睡觉，我吃饭它也吃饭，我洗澡上厕所它也在一旁安静地蹲着，就差手拉手和它一起睡觉了。

什么啊，你上厕所它也在旁边啊？

嗯，当然咯。阿吉说，我可是那个把它从鸡窝里救出来的人，刚开始它很崇拜我的，在它眼里我肯定就像个超人，肌肉发达的那种。养一只有个性的狗，还不如养一只崇拜你的。但是忽然有一天我发现，它怀孕了。

啊，怀孕？每天不是你遛的狗吗？

我工作蛮忙的，太晚了把它放到楼下，让它自己散步还有觅食，谁知道它会把自己搞怀孕了。

是不是想引起你的注意，你对它太不关心啦？

这个我就不知道了。我现在怀疑，它那些崇拜我的样子，是不是都是伪装的。

你不要想太多……我说。

阿吉叹了口气，我以为它很聪明的，能自己照顾好自己，没想到最后它还是被别的狗给骗了。

但是，你有时间喂藏獒，怎么没时间喂京巴啊？

藏獒饿了会叫啊！而且叫起来的声音也蛮好听的，有共鸣，很磁性，带着节奏感。这只京巴不声不响，谁知道它脑子里在想什么。

阿吉停顿了一下说，哦！还有一种可能，就是因为它太崇拜我了。

是挺可怜的，听上去。即便嘴上这么讲，但我还是能联想到他的京巴和另一只狗在小区花丛里嬉戏追逐的场面。

唉，它的一生太凄惨，先是被小鸡啄鼻子，后来又来个未婚先孕，大概是因为它智商真的太低了，有天中午我从窗口看到一只狗独自走出小区大门，远远望去，这只狗和我的京巴特别像，我就在家里搜寻它的身影，找了半天没找到。我想，那么那只独自散步的狗一定就是我的京巴了。

它自己怎么坐的电梯啊？能坐电梯的狗智商不低的。我说。

不知道。

我本来想说，这可能是京巴预谋已久的一场离家出走，但看到阿吉眼中的失落，我把话就咽了回去。

我说，那你还真的养过蛮多狗的哦。

当然，各种各样的狗，不同性别，不同品种，而且它们都很有自己的个性。他说这话的时候脸上映出一副"我的狗很爱我"的得意表情。然后他又讲了那只每天大清早都准时跑来叫他起床的金毛的故事，故事的结局是他不得不把它送走，因为他需要睡眠。他还说他养过现在特别流行的那种狗，比熊犬。他是为了让自己忘记京巴，才去养的比熊。

我说，这两只狗一大一小差得远了。

就是要差得远啊，转移注意力啊，过着过着就忘了。他喝完杯中最后一口，带着反问的语气说道。

那比熊呢？我问。

它不肯吃狗粮，一定要啃骨头，我没法天天给它准备骨头，但是没有骨头，它就不吃饭，要饿死的，我觉得它在我家是待不下去了，我就把它送给了我东北一朋友。

什么啊？东北？那么远。我说。

嗯，眼不见为净。

他用买和送作为他和他的狗之间的动词，我脑海里一下闪现出一幅画面：他在一家进口超市，把推车里那打啤酒放到柜台上，服务员说刷卡还是现金，他说你等等，然后弯腰抱起一只狗放到台面上来，服务员拿起扫条形码的机器对着狗屁股，哔一声。整个买单的过程他都是面无表情的，只有柜台上的狗在左右张望。

这几个关于狗的故事，并不是他讲得最好玩的，也不是最漫长的，它们是由零零碎碎的片段组织起来的一个罗曼史，至少我觉得是罗曼史，而且结局都是彼此散落在天涯。我也怀疑过这个"狗系列"到底是真是假，我曾见过一个狗主人因为狗死掉了，自己哭得死去活来，好像把狗当宠物来养的人，都会对它们产生依恋，不会像阿吉那样轻易送人。其实狗和主人的关系是很不平等的，但只要双方在共同生活之前认可了这种不平等，就像结婚前阅读了婚前协议，签上字，那就一切都好说，无论谁付出多一点少一点，都不要去计较了。

可阿吉不是这样的，他是先把狗弄到手，然后看看这狗讨不讨他的喜欢，不喜欢就扔掉，喜欢的话就继续养。当那些养狗人士带着自己养了很多年的老狗逛公园荡马路的时候，阿吉不得不去宠物商店寻觅新的狗来养。这样一来一去次数多了，他也许就再也感觉不到离别之苦了。

就像我们的那通电话，他轻松地说，那好，找到了男朋友别忘了请我吃饭。

听他这样的口吻，我也无心去哀叹爱情的消逝了。我大致也可以想象得到，也许场景是在公园的长凳，或者餐厅的靠窗座位，或者是度假游轮的甲板上，他给另一个女孩讲起狗系列的故事，他说，从前我养过一只萨摩耶，虽然它来我家的时候已经有些个子了，但也不是很大，随着时间流逝，它越长越大，也越来越聪明，知道怎么讨好我，每天让我生活得信心满满。

　　然后那个女孩会问，然后呢？

　　这时阿吉会笑容可掬地说，也许是它累了，没力气讨好我了，它发现我没它想得那么好，对我越来越没了热情。我就把它送人了，你想，谁喜欢一只垂头丧气的狗呢？

谈恋爱之前谈什么

　　夏日的闷热已在初夏初见端倪，但这个端倪是很舒服的。就在梅雨季节来临之前的一两周，大概是这个城市里的这个季节中最舒服的几天了。一切空气污染在傍晚落日时分都显得势单力薄，大自然用深厚的底蕴让怀里的孩子忘记捣蛋，虽然它知道一切都只是暂时的，但它还是制造出了眼下诗意的温度。穿过一些弄堂时还能闻见空气里弥漫着的油烟味，风徐徐吹来。一切的目的在此刻好像都失去了意义，而此刻的目的就是沉浸在这片落日的余晖里。从教学楼出来，这一天好像才算开始。我和大头翻着各自的通讯录，想找几个哥们儿出来，但大头说，这么好的天气，见的都是男的，太浪费了。他觉得我认识的女的比他多，叫我看看能叫谁。

　　前两年我要是扪心自问，到底害怕什么，我可能会说是失败。现在问我，就会说最怕无所事事了，简单形容就是正事没干一天又过去了，不可能主动学习，听情歌也没有共鸣，心里面是空的。为了避免这样的情况发生，我参加了学校的许多活动，结识了一些人，大概我和大头长得都还不算差，通讯录里的新名字也一个接一个地增加，新认识的那些女的有时还会主动找上来。

　　我把手机扔给大头，他随便点了名字就拨出去了，我和他坐在校门口的台阶上等。大头只打了一通电话，但是来了俩女的，一个是晓夏，大眼睛长头发外加一对双眼皮，另一个中长发的我不认识，不怎么讲话，老是低着头。她们俩走在我们后面，我们跟两堵墙似的，时而听见她们窃窃私语，然后呵呵笑几声，我看了眼大头，他装得跟真的似的，直挺挺的不弯腰也不驼背，一步步认真地走。我们晃晃悠悠地走到最热闹的一家烧烤店，一串接一串地烤，最后都不知道吃进肚子里的肉是什么动物的。

　　中长发的那个跟我们不熟，话也不多，还不小心把饮料洒在了我裤子上。她急忙翻包找纸巾要替我擦，找了半天也没找到，我说算了算了别找了。她马上停止了寻找，掏出手机不知道在看什么。我想应该是天气热的缘故，我火气开始大了，大头踩了我一脚，压低声音说，别搞得跟个女的似的。我叹了口气，问服务生买了包纸巾。而晓夏就不一样了，晓夏之前跟我们认识，喝了几口酒就放开了，开始扯星座。现在女的最爱扯星座了，好像自己就是圣母玛利亚，把脚下的每一个子民都安排好，该干吗该睡哪该爱谁，她们一目了然。以前刚认识晓夏时，我还以为我们真能发生些什么，后来在学校学着学着谁都忘了谁，今天看到她还是老样子，热情又奔放，和大头也有说有笑，我忽然明白，这样的女孩对谁都是这个样。走在夜晚的路上，大头和晓夏也交换了电话号码，顺便把社交网站也加了个遍，我就渐渐走到了那个不声不响的中长发女孩身边。她边走边看手机，我问她在看什么，她把手机放回包里，面无表情的，也不回答我的问题，不知道她在想什么，我立马觉得自己变成了那种不能够引人注意的弱势群体。这种感觉很不好，我故意放慢了脚步，走到了她身后。不出两个礼拜，中长发就和大头在一起了，据大头说，他觉得晓夏认识的男的太多，所以比较也太多，太难追。我说我不太喜欢这个中长发。大头问为什么。我说，这种女的太敏感想得太多，待在一起太麻烦，除非长得再好看点，还可以考虑。大头说，这算什么呀？我喜欢不就行了吗？再说最近新认识的女的也不多。后来我在校园里碰到晓夏，讲起这件事，她一开始也表现出了惊讶，之后又扯到了星座，从她的观点来看，大头和中长发属于那种既可以在一起，也可以不在一起的星座，不会有激情，但一直这么拖着也行。我说，星座书读傻了吧，大多数情侣都是这个样。她眼睛一转，皱皱眉头，转身走了。

因为大头的缘故，中长发经常到我们寝室来，她安安静静地坐在桌子前。我也没地儿去，只能厚着脸皮和他们一起窝着。我对他们说，你们就当我不存在，该干什么干什么。中长发说，现在这样挺好的。我说，你别客气。到了饭点，大头拉起中长发的手，消失在门口，听着他们远去的脚步声和笑声，忽然发现我无意中又陷入了自己最讨厌的状态——无所事事。我打开衣橱，准备找件干净衣服套上，一开橱门，发现里面乱哄哄的，我那些衣服横七竖八地倒在里面，上面倒是整整齐齐挂了几件五颜六色的衣服，但不是我的。我打电话问大头，我衣橱里的衣服是谁的？电话里闹哄哄的，断断续续中听出来那些都是中长发带来的。我跟他说，真的，我真不喜欢你这女朋友，烦不烦人啊。大头也不管我高不高兴，没等我说完立马挂了电话。到了晚上，门开了，中长发站在门口，我问她大头人呢？她说大头和几个朋友出去了。我跟她说，这里也没有大头，你来了也没用。我觉得自己像是在撵她走，不太礼貌，就搬了把凳子让她坐。我忽然想到那些五颜六色的还挂在我橱里的衣服，就跟她说，这橱是我的，你的衣服挂我这里也不太合适，要不帮你挪到大头那儿？

她看看我说，那些不是我的。

但大头说是你的啊。

她打开橱门拎起一件绿的，你看，谁会穿这个？

古代人。我说。

这不就对了，这是我们社团的道具，借你的地儿放放。她轻松地说。

今天不带走，明天我就扔了。

听到这个她总算抬起头认真了起来，瞪着眼睛看着我，好像在怀疑这话是我说的还是她的幻听。想到她是大头的女朋友，以后可能还要一起混一段时间，我勉强笑了笑，开玩笑的，你放吧。

她说，不会久的，过几天就演出了，演出完你一辈子都见不着这些衣服了。

别别别，你想放多久就多久。我说。

然后我们就聊起天来，从他们的社团开始聊起，东拉西扯，聊了会儿小说、电影，还有几件最近刚发生的好玩的事情，我发现她是那种对影院里放的电影几乎不感兴趣的女孩子。然后我给她讲了个鸭子爱上直升机的故事，一只鸭子因为爱上了直升机，天天等着它飞回来，无怨无悔。每当我给其他女的讲这个故事的时候，听完她们都嘎嘎地笑，唯独中长发面无表情，除了有些严肃。我说你是被感动了吧，她点点头。我顺势又讲了几串饶舌的爱情理论，她好像听得很认真。她的发梢在月光和灯光的交织下晃晃荡荡，让我想到了地中海的风，我浑身不知道哪里为之一颤，酥酥麻麻的。她那天说我讲得好像还真是那么回事，就算她和大头都没这么聊过。我谦虚地说，爱情理论最多的时候，就是爱情经验最少的时候。中长发虽然没有晓夏那样的自来熟、热情以及阳光，她是那种得混熟了才跟你袒露心扉的女的，也就是那种深藏不露型，但这种女的一般还没跟人混熟，就被那些晓夏型的女的捷足先登了。那晚我们闲扯了很久，看着谁都有点扯不动了，大头也没回来，中长发也就悻悻地走了。但我一开橱门，看到那堆道具，觉得她又没那么可爱了。

到了后半夜，我被一阵铃声吵醒，一看是大头打来的，但讲话的是晓夏，她电话里急匆匆地说让我快点去公园里一酒吧把大头接回来，没等我听清她就挂了电话，背景闹哄哄的，根本不像夜里。我随便套了件衣服就往公园赶去，大老远就看见大头坐在公园的长椅上，长椅边上杵了根路灯，明晃晃地照着大头，大头的眼睛是肿的，脸上泛着红晕，像一个长不大的中年人。我问他，你干吗？他抬起眼看着我，你干吗？我又问他，晓夏人呢？他忽然带着哭腔说，我失恋了！这种语调外加他满嘴的酒气，让我觉得有点恶心，我把他从椅子上扶起来，一点点拖回了我们的房间，我猜他在路上就睡着了。第二天一早，他可怜兮兮地说，晓夏压根儿就不喜欢他。我指着镜子说，照照去，你早该有点自知之明

了。他一跌一撞地对着镜子理了理头发。大头和我过去犯了同样
的错误，我们都以为一个女孩对你热情就是喜欢上你了，我觉得这
种女的，大概是对谁不热情，那才是喜欢，对你热情，那是常态。

　　那中长发怎么办？我问大头。他忽然眼睛一亮，对啊！把这
茬儿给忘了！他掏出手机赶紧打了个电话给中长发，前两通中长
发没接，第三通才接的，我觉得她大概是故意的。我说，大头，
你不能这么对人家，看着怪可怜的。大头拍拍胸脯，不，昨晚我
犯了个低级错误，认清了事实，已经改过自新了。我啊了一声。
大头继续说，等下进来的那个女的才是我要找的！然后中长发就
推门进来了，还带了一份给大头的午餐，但是没有筷子，我觉得
她这也是故意的。

　　中长发坐到我桌子旁边，和我聊了几句那天晚上讲起的东西，
中长发真的很喜欢看电影，无论好莱坞或者伊朗片，她都能略知
一二，她把我那天晚上说起的几部电影都看了，看得比我还仔细，
正当我使劲儿翻出回忆要和她继续聊影片里那些有的没的晦涩难
懂的文学性和意义的时候，大头端着中长发买给他的午餐坐到了
我们旁边，以至于我们俩立刻从刚刚进入的状态中走出来，有些
不知所措地不知该讲些什么好。大头见我们都不怎么说话了，就
伸手搂着中长发的肩膀，中长发扭了扭肩膀，这反倒让他搂得更
紧了，大头趁机用自己油滋滋的嘴亲了一下中长发的左脸，中长

发这回没有看我，但我看着她，我看见她用手抹去左脸上的油渍，然后她把目光转向了我，有那么几秒钟我们是对视的。然后我识趣地朝着窗外的方向看去，可以看到远处的高架桥，一辆辆汽车像蚂蚁似的争先恐后地爬行，阳光直射在车顶上，远远看去高架桥上好像爬满了发光的蚂蚁。

刚才大头的笑声和中长发抹去脸上油渍的样子一直回荡在我的脑海里久久挥散不去，我的心中像压了一块石头，不知道该往哪里扔，只好让它停在那里，慢慢被风化。随着天气愈来愈热，那几个考试前的晚上，大家出来聚的时候也更少了，都在各忙各的，我回到房间，看见大头小心翼翼地关上了抽屉。我和他渐渐有些疏远，我一度认为是因为大头谈起了恋爱，无暇把所有事情都放在一起干，直到我发现他正在做着一些我不知道的事情我才明白，我们过去的友情里除了行为习惯上看得惯彼此之外，还存在着一点点的契约感，就像成群结队走在校园里的那些女生们一样。我问他你藏什么呢？他说，没什么。后来他又告诉了我，小抄而已。我叫他小心一点。他点点头。然后我们就不知该再说些什么。第二天一早的考试，没考多久，大头就被老师从教室里带了出去，几乎没人抬头看他一眼，都顾着答卷，而这样的情形也都是习以为常的，过去被抓住的人只要写一份报告，再重考一遍就好了。但我没想到这次学校看管得比过去严，连同我一起都被叫去了老师办公室。

　　一位三十多岁的女教师指着桌上几张被揉捏得不成形的纸片问我，你看看，这是不是你同学的字，他就是不承认。我看看纸条，确实是大头的字，我朝女教师摇摇头说，我不知道。她把纸条往我这儿推了一点，摘下眼镜，叹了口气，感觉像是我要不说这是大头的字，就是我犯了错误似的。她见我依然没什么反应只好接着说，要是你不说话，就是默认了。我说，真不是他，我没见他写过这些东西，而且老师你看，这根本不是他的字啊。说完我看了一眼纸条，上面密密麻麻一看就是大头蟹爬似的字。女教师戴上眼镜说，好的，我知道了，你走吧。走出办公室，我看见中长发站在门口，我问她你也是被叫来的？她点点头。见我走出去，她就进去了。看着她走进办公室，我忽然有些后悔没有告发大头，但走了两步就为自己刚才那个想法感到荒唐，我为什么要告发大头呢？

　　回去后我问大头怎么回事。他说，别当回事。但是几天后他就收到了退学通知，学校这次是来真的了。那几天，中长发也不来我们房间了。我问大头，你爸妈怎么说？大头摇摇头说，不知道。我又问，那中长发怎么办？他还是摇摇头说，不知道！他忽然火冒三丈地把鼠标一摔，问我，是不是你？啊？是不是你说的？

　　我说不是。

别以为我不知道，我看到你被叫到办公室了，你以为我走了你就能和她在一起了，没这么容易！大头说。

和谁？我问他。

这时候中长发推门进来。她啊！大头指着中长发。中长发站在门口一句话不讲地看着我们，好像她什么都知道似的。

当我们都以为大头要离开我们的时候，大头屁颠屁颠乐呵呵地告诉我们说他爸一通电话就搞定了，为了庆祝胜利，他把大家叫在一起吃了顿饭，我觉得这根本是多此一举，但大家都如约而至。饭桌上他说他十分感谢一路陪着他的中长发，然后重重地搂了搂中长发，却面无表情地看着我，我只好装模作样地喝了口啤酒。最后大头举起杯子大声说，让我们为现在以及今后的苦难干杯！大家谁都没接话，只听到一阵杯子碰撞的声响。

事情过去后，我们四人又晃晃悠悠地走在路上，这时候的温度已经有些让人觉得腻了，海藻般的黏稠感让人感到失落，忽然空中飘起了小雨，又细又密，大头一个箭步跑回去拿伞了，晓夏先我一步也跟着去了，留下我和中长发两个人站在马路上。我们看了眼彼此，她眯起眼睛跟我说，把你衣服脱下来。我捂住胸口问，你想干吗？她解开我的扣子，我任凭她摆弄，反正衬衫里还有一件背心。她把衬衫罩在我们的头顶上，一人撑一边，雨水是淋不到了，但我觉得身上是湿的，大概在出汗。

　　觉得这么站着挺尴尬，我忽然冒出一句话，当时是不是你跟老师说纸条是大头的？

　　不是。她说。

　　啊？你没说，我也没说。真的，你跟我说实话，满足一下我的好奇心呗。

　　不是我，我说我不知道。我就不能选择不选择啊？她一字一句地说。

　　我选择不选择。这句话如闪电般击中我，我想不出接什么话，只能说，哦，是这样啊！

　　我们就这么一动不动地站在树下，我看着她，她也看了我一眼，等我再看她的时候，她的目光已经落到了大头离开的方向。

　　那天起我终于认真听起了中文情歌，也有了一些感受，不像前些日子听到它们就觉得厌烦、无意义、浪费时间、空虚，我的情感随着通俗的音乐顺流而下，越积越多，我也不去制止，就这么让它们流淌，我一直以为这是因为季节的原因。我们随便找了家餐馆就进去了，看着菜单上五颜六色的图片和晓夏天蓝色的指甲油交织在一起，脑袋有些眩晕，抬起头正对面坐着的中长发依偎着大头，我的心中一下充斥了愤怒，不是因为大头背叛过中长发而中长发不知道，而是源于我的自私，有这么一个想法穿过我的脑海：哪天她和大头分手了，我们也许就再也见不到面，也许十年后在地铁站里，她随着车厢摇晃，我也随着摇晃，她在四号线，我在二号线，想到这些我的胸口更闷了。顺势我把手搭在了晓夏的肩膀上，晓夏刷着微博头也不抬，大头坐在对面严肃地盯着我，夹了一口肉往自己嘴里塞，我也忍不住端详着对面的中长发。

时间过得也不慢，两个月后，夏天最热的时候快要过去了，在大头的不断努力下，他和晓夏走到一起了，他显得更加快乐了，像一个久经沙场的战士又一次打败了敌军，但他们俩消磨爱情的速度简直是常人的八十倍。我也因为再也找不到约见中长发的理由而有点苦闷，她不是那种会跑来大吵大闹的女的，所以对于她的近况我无从得知。过去通常因为大头有事找中长发，我才得以见到她，一定是这种日积月累的无目的的见面让我对中长发产生了奇怪的感觉，这种感觉一直到我见不到她了之后愈演愈烈，有好几次我想撇开大头跑去寻找中长发，告诉她我的感受，但这种想法只是在我的脑海里演练过，从未付诸实施。

我差的不是激情，是勇气，但有的时候这两种东西是连在一起的。在中长发的面无表情之下，我手中那些追女孩的招数都显得无能为力，我也不知道该用哪种标签来定义她，有许多是模棱两可的，我对她充满了好奇。而我们为数不多的谈话里，离不开的话题总是大头，这让我有点想要远离大头这个朋友。

事情在一个炎热的下午得到转机，我接到了中长发的电话，她约我在楼下见面，我挑了件蓝色的 T 恤往身上一套就兴冲冲地下楼去了，她站在太阳下面，我吸了口气，朝她走去，她自然而然地撇去了我们数周未见的陌生，并时常和我进行眼神交流，我差点就把手臂搭在她肩上的时候，浑身一颤，收回了手臂。那天我们没有聊到大头以及和大头相关的任何事情，她只是找我说学生会组织的一场辩论赛，而我正好在里面能帮上些忙。我并不知道她为什么找到我，但是在我看来，帮她的忙反倒成了我进入那个充满了无聊年轻人的学生会的目的了。然后我也学着她的样子，找一些可有可无的事情和她见面，渐渐地就这样见面变成了约定俗成的活动，我们变得像闺蜜一样，吃饭、聊天，有时候我也会坐在寥寥无人的观众席上看他们社团的演出，那些曾挂在我橱里的衣服我从未见中长发穿过，她总是待在后台。

　　有一次中长发他们演出前，我从衣橱里拿出几件道具服准备送过去，大头正巧回来看到，他皱着眉头看着我，我故作随意地告诉他中长发叫我送过去的。他惊讶地问，啊？你有她手机？我点点头，他哦了一声，然后打开了电脑。我想他应该和我一样，算是故作惊讶。现在每天回到房间，我和大头会互相打个招呼，我不知道他最近干了些什么，他对我的生活也开始表现出漠不关心，但我十分想知道，如果他发现我和中长发依然有联络，他会做出怎样的表情，也就是这份好奇让我偶尔会有一搭没一搭地和他聊上几句，但毋庸置疑，我们的友谊已翻开新的篇章，换了一种模式。

能不能长久地和大头做朋友，我不知道，但有件事我是知道的，我不能再做中长发的闺蜜了，每个男闺蜜心中都是藏着秘密的，他们带着秘密前行，非常疲劳。我决定要打破眼下的局面。

一个下着雨的傍晚，我回房间给中长发拿道具服，这是他们最后一次演出了，就是说我为她最后一次送道具了，以后还想见她，又要想出新的埂子。当我打开橱门，那些五颜六色的衣服统统不见了，我小跑着去了学校剧院，中长发还在后台忙碌，一见我就问服装呢？看着她疲劳的样子我没告诉她服装不见的事情，我说我马上去拿。我又小跑着离开后台，听到身后中长发的喊话，快一点！

一跑出剧院，我就放慢了脚步，我看见那些五颜六色的我正要寻找的道具服乱七八糟地被扔在路边的树下，我赶紧一件件捡起来，整理好后在楼底下等着中长发，她小跑着下楼了。我们漫无目的地走在路上，路过那些我们熟悉得不能再熟悉的地方，奶茶铺、拉面馆，还有花店，门口整齐地放了一排仙人掌，我因为紧张而手心开始出汗，我决定走到下一家店铺的时候要把该说的一股脑都告诉她。此刻天空下着雨，我马上脱下衬衫罩在我们俩头上，对身边那些东奔西跑找地方躲雨的人来说，我们就像一个不紧不慢的组合。雨越下越大，在路灯洒下的光影里能看见一道道飞流直下的细线，有的落在地上，有的落在雨伞上，还有的落在中长发的发梢上。我就像一个初次演吻戏的小演员，把剧本看了一千遍，该讲的台词都讲完了，现在被一个间断的舞台动作给难住，只有导演灯光舞美在一边干着急。或者现在应该出现一些突发事件，能够让这个舞台动作显得更自然一些，一切烂俗的桥段在我脑海里涌现又隐没，而我只是默默举着衬衫走在中长发的旁边。

　　雨就没有停下来的意思，在一段狭窄的人行道上，我走在中长发后面，让她先过去，忽然她停住了脚步，我跟着抬头看去，大头和晓夏朝我们迎面走来，也可以这么说，他们就站在我们对面。晓夏友好地对我们点点头，我看不见中长发的表情，只看见大头对晓夏指指前方，想要侧身从人行道上走过去，他们看了一眼彼此。就在他做这个动作之后，我的胸口忽然有一股暖流，我伸手搂住中长发的肩膀，把她朝我身边靠了靠，让大头他们先过去。大雨中，那对恋人好像一下子失去了他们莫名其妙的优越感，瞪大眼睛看着我们，慌乱地从我们眼前经过。等到他们从我们眼前消失，我的手也从中长发的肩上放了下来。但她依然靠着我，我们依偎着继续走，一点都不觉得尴尬。我从没想到事情能发生得这么自然，这大概是最安静的突发事件了，没有一句台词。

　　过不多久，我们自然而然地在一起了，掐指算来，从见到中长发的第一眼到我们成为男女朋友，一共花费了半年的时间，中间包括她和大头在一起的那几个月，加上我们恋爱的半年，正好是完整的一年。和她在一起的前几天，我居然觉得自己的生活发生了焕然一新的改变，就像以前刚恋爱的时候那样高兴，她让我变得像一个恋爱里的新人。

　　眼下又是一年的夏天，熟悉的闷热天气让我觉得我们从来没有分开过，透过房间窗玻璃映出的房间影像让我恍惚间看到了之前的某一天，她指着电脑对我说，你看，新闻上说真的有只天鹅爱上了直升机。生活中总会出现莫名其妙的骚动和困扰，为了解决它们，许多人用掉了很多力气，在失去和得到之间不知所措，但到头来发现这一切都没有任何意义。既然如此，那么在此之前，不如顺其自然。

下流社会的两朵交际花

为什么钱总是不够？卡总是刷爆？从《欲望都市》到《巴黎拜金女》再到《破产女孩》，里面的女人们都非常喜欢问自己这个问题，而且问着问着都傍上了大款，但故事终究是故事，现实里都是说不完的无奈，在这个下流社会，找不着工作买不起房结不了婚生不起孩子都是平常事。很多漂亮朋友，经由一个入口，随波逐流，混迹于名利场周边，成为一朵交际花。这里有一个故事，讲的是两朵交际花，一男一女，努力社交，不择手段，为了改变生活，后来他们相遇了。

先说第一朵交际花：小维。我是小维为数不多的朋友之一，因为她长着一张婊子脸，就是女生一看就讨厌的那种。她的朋友圈里，brand多酒瓶子多沟深，不知道的人真的会以为是外围女。她说她的大学女同学几乎都跟她撕逼了，我说你好好想想，是不是做人有问题？

因为她朋友少，所以想要倾诉也只能找我们几个讲。我大概也是因为年纪逐渐大了，想和这个世界好好的，才没有和她撕逼，跟她维持着泛泛之交。别看她成天穿金戴银的，实际她的家境挺一般的，父母正闹离婚，父亲捏着存折不放，母亲只好摇身一变，从二十多年的家庭主妇变成公司一职工。有天夜里聊天，小维舔着酒杯边缘的盐，叹了口气，"爸爸不给钱了，来一金主救救我吧。"我以为她喝多了开玩笑，没想到她是真的义正词严在说话，把找金主这件事提上日程了。那晚空气指数不错，老天爷好像听到了她的祈祷，没几天就真的给她派了一金主，是她大学同学，这人家里是在江浙一带办工厂的。

她兴冲冲地把我们几个又叫出来，高兴地分享了这个消息，还发了张金主的照片给我看，我的手机里忽然多了一张陌生男孩的照片。她说，现在这个拉出去不丢人。

之后那段时间里她的朋友圈也是轮番直播各种局，满眼衬衫皮鞋纪梵希香槟瓶子碎酒杯，还包括一盒金主送的内裤，但从来没发过人家正面照一张。她说金主告诉她，做人要低调，平凡才是生活的真谛。

　　有一次她发了一张自拍，露了金主的一个肩膀，金主又耐心地教导她，"古驰的衣服角就不要露了。"

　　"露脸吗？"

　　"不露，我不是个张扬的人。"

　　忽然有一天小维心急火燎地跑来跟我说："那男的原来有女朋友啊，还是我们大学的！怪不得不让我传照片，现在这女的天天散谣言，让我以后怎么混啊！我也不知情啊，你说对不对！对不对！"虽然小维一脸不满，但抱怨完之后，压低嗓子问我，"你说她会不会冲我泼硫酸？"我说："你皮那么厚，谁都伤不了你。"她听了没生气，反而觉得很安慰，用桌上的蜡烛点了根烟，跷着二郎腿，对着玻璃倒影练习如何吐出圈状烟雾，说："我毁容了也比那女的美。"

　　后来对方正牌女友闹腾了一会儿也就收手了，既没有扯头发吐口水也没有泼硫酸，这段狗血故事刚告一段落，小维又闲得蛋疼一股劲儿没处使，跑去和她老师传出了绯闻。那回她约那老师去喝酒，那老师居然还答应了，他俩专门找了家在市中心弄堂里不起眼的小酒馆，照例说这种小破地方没人能发现，但很快学校里就流传了四种她把老师挑逗得血脉贲张最终合二为一的版本。

　　她动用各种手段去寻找八卦源头，最终发现居然是她室友传播的，她在一周之内打了个报告，换了寝室。住进新寝室的头个晚上，她还发了张卧姿自拍，配以文字："搬家好累，不如人世间累。远离碧池。"

再说第二朵交际花：阿乐。在今年初春，我约了一朋友在新天地碰头，阿乐学的是表演，著名交际花，专攻师姐，虽然个子不高，但很少有失手，心情好时还会将魔爪伸到其他学校。他对此的解释也很坦然，"师姐嘛，就是有更多社会资源的物种。我就蹭一点算一点。"

刚坐下没多久，小维打电话找我聊天，我叫她也来新天地。阿乐迟到，直到小维吃掉一块蛋糕，才看到阿乐打老远急匆匆地跑进来，见到对面坐着一位不认识的女生，他好像喜欢上她了，因为他突然变得少见的沉默。没过多久阿乐破天荒地叫我出来吃饭，把话题引到小维身上，他说："上次坐你旁边的那个女的和你蛮像的。"

"像你妹。"

"就比你好看一点点。"

"出去。"

阿乐试探性地让我把小维也叫上一块出来玩。

我说："阿乐啊，你和师姐现在不是挺好的吗？"

"别叫我阿乐了，一听这名字就感觉自己会平庸一辈子。"

"好吧，等你大红大紫以后就不叫你阿乐了，阿乐。"

随后我叫了小维，她也一副有吃白不吃的样子，随口答应了。当时小维的金主是个老外，专门把国内的充电宝卖到欧洲，十五块一个进货，卖到法国能卖到两百五，中间差价算是暴利了，但是法国人看到这种小玩意儿还是高兴得合不拢嘴。

要不是有天凌晨老外急得打电话给我，我还真不知道小维和阿乐在一块儿。我直接打给阿乐，让小维接电话，小维果然在电话那头出现。她跟我坦白自从第二次跟阿乐见面后两人就相见恨晚欲火焚身恨不得立刻变成连体婴儿。她也很纠结，一方面法国人答应带她去台湾玩儿，一方面她似乎爱上了阿乐。阿乐也不是个省油灯，他一边在师姐面前做他的乖乖男，一边想着法子从师姐身边开溜出来找小维。

尤其参加共同朋友的聚会，两人不尴不尬地站在房间的两个角，手里牵着别人的手，小维嘴里咬着吸管，阿乐叼着烟，面色都有些凝重。虽然刺激，但也是很痛苦的，而且要是真的喜欢，假装是很难的。不久师姐就发现了乖弟弟的小秘密，翻脸不认人，过去答应给阿乐出演的角色也泡了汤，我问他，你后悔吗？他说，还好，走一步看一步吧，未来会怎样谁都不知道呢。而法国人，一个人跑去台湾了。阿乐在情爱和道德中义无反顾地选择了前者，而且是出于自身切实的欲望，就像戏剧里典型的反派改邪归正，他甚至开始认真出去找工作，哪怕角色小得不起眼，带着一身疲劳回家，小维给他准备宵夜，每一个安心的夜里，他们就像一对幸福的患难夫妻。

在他们交往了三个月的时候，阿乐的妈妈从外地过来，小维从接机到送人上飞机走，一直都是她在招待。阿乐告诉我，他一直忘不了他妈妈忽然感冒了，小维跑到医院给她买药，让他妈睡在自己的床上，发现卧室窗帘松动了，她立马搬来凳子扶着墙把窗帘一点点地修好。他说他当时就认定她了。

直到有一天阿乐兴冲冲地从剧组回家，想把导演的决定告诉小维，他当上了男二，因为原本的男二失踪不见了。我记得阿乐说这事时语调很低，"因为她爱喝奶茶，我还买了上海最贵的奶茶给她喝。担心拿回家不冰了，还交代服务员比平常多加五块冰。一开门，我就看到小维跨在另一个人身上，两人都把对方抱得很紧。"

"你观察得真仔细。"

"别这么说，生活中细节的观察对于一个演员来说非常重要。"

"后来呢？你冲了上去？"

"我跑到楼下咖啡馆背台词，因为明天要试镜。"

"变态啊。"

一年后，阿乐并没有因为那个男二号的角色演出什么名堂，还是个风里来雨里去的小演员，他还住在那间公寓里，换了张床，床的方位变了，不再靠着窗户，而是靠着墙，他说他还是很受大龄女青年的欢迎。小维跑出去留学了，做些不痛不痒的代购，因为时差我们也不能像之前那么热络地聊天。圣诞节她回来，我们见面，她说阿乐的手机变成了空号，想要他的新号码，和他见面。我知道阿乐根本没换号码。

她拖着我去买奶茶，我问她："明明记得你不爱喝奶茶啊。"

她咬着管子说："过去是不太爱喝，阿乐却总喜欢给我买，我就假装很喜欢，现在奶茶就像一个转换器，喝一口奶茶就像在重新温习一遍我们当时的快乐，你明明知道那些时光一去不返，那些爱也不能重来，但这一口奶茶带来的幻觉足以让我安静好一会儿。"

也许这个世界真就像阿乐所说的那样，走一步看一步，未来怎样谁都不知晓。

在能接触到爱的机会里，有人选择了底层的欲望，也是一种活法。即便如此，这样的人中，也会有硬要闯暴风雨的。当他们变老之后，无论坐在宝马车还是自行车上，某段过往时光的余光，依然会照亮他们的人生。这不同于青春年少时的很傻很天真，就当是他们自己在预言好了，当有一天，能吸引他们的人变少了，某段日子的余光会照亮之后的一生。说到底他们是同类，很像的两个人，就因为真的好像，见面就像照镜子，牵手像在摸自己，接吻像在亲自己。

很多很多的相遇，本来就是因为钱和机会、地位和归宿，才滋生出来的产物，而在某一个时间里，可能是有过真正的爱和交流的。

海　鸥

　　自从有人接手马路对面的那栋烂尾楼之后，旁边的空地也纷纷造起了高楼，都是模样相仿的住宅区。

　　就是在这条街道上，我见到一个久违的人，这些年来对他的模样我已经渐渐遗忘了，并不是我不放在心上，而是时间使然，这种记忆像一幅幅在莫斯科地铁里的残缺的马赛克油画，剥落了一些，还剩一些，依稀看得清轮廓。

　　此刻的他裹着灰色外套，能看出在外套里面还参差不齐地塞了几件毛衣，站在我对面的马路上愣神地盯着前方，当他游离涣散的目光定格聚焦在我身上的时候，他整个人立马为之一振的样子，像一只饥饿的黑熊踉踉跄跄从对面马路冲我奔过来，每跑一步都显得精疲力竭，但我却以为他就快要扑到我身上了，会压得我无法喘息。

所以我悄悄向后退了小半步，直到他停止跑步，喘着粗气站在我的面前。感觉到他稳定下来，我才敢定心地看着他。

除了发福之外，曾经的他是留着一脸胡子的，所以我管他叫大胡子。但就此时，他脸上却干净清爽，我终于得以看清的面容。

我和大胡子虽然十多年未见，但他的苍老反并不那么明显，目光里的呆滞似乎是想带动周围的行人一同放慢脚步，但无人接应，他便成了马路上的异类，一个呆滞的异类。也可能是他属于早衰的那一类，在年轻的时候显老，等到真的上了岁数，反倒能够持续某种容貌很多年不变。

我知道，自己只要看见他，就能很快回想起很早之前的那个盛夏，不过这些年他从未出现在我眼前，我自然不会刻意地去想那年发生的事情。现在回忆起来，居然真的有些淡忘了。

我极度害怕自己会消失不见，并不是说担心别人忘记我，而是不确定是否会有那么一天，我会失去记忆。每当太阳从当空渐渐落入西边的天，我心里就悠然升起一阵难受，它渐渐变成橘色的暗沉的圆，挂在小区尽头的树梢上，再下沉一些它的大部分就被房屋外墙延伸出来的晾衣架切割掉了。

那是夏日里的一个下午，我和邻居家的几个同龄小孩约好了玩弹珠和捉迷藏，一开始为了弹珠的归属问题，我同一个大眼睛的男孩争论不休，他家是在对街的新造的高楼里，男孩说橘黄色的弹珠都是他的，我说这一颗上面有刮痕，我确定是我的。他从我手中夺过弹珠，我又夺了回来，他又掰开我紧紧攥住的右手挖走了那颗带刮痕的橘色弹珠，当然最后弹珠还是归我了，因为我是女孩子，我会尖叫我会哭得很大声。

弹珠游戏结束之后，那些滑溜溜的小弹珠立刻被我们无情地扔到小区里碧油油的草丛中，和泥土里的西瓜虫蚯蚓为伴，然后我们开始兴致勃勃地按照计划好的玩起了捉迷藏。许多人的喜新厌旧大概都是从丢弃各种玩具开始的，几分钟前小孩子们还在蜂拥争抢弹珠，换了一个游戏，就谁都不想再碰它们一下。所以现在收到礼物我就很怕收到毛绒玩具，我会告诉我的朋友们，不要送我这些很多毛也很快会脏的东西，反正我也不会真的爱上它们的。

"我来捉你们！"大眼睛男孩又扯着嗓子要当主角了。

"我也想做捉人的……"另一个内向的小男孩说。

"十……九……八……七……六……五……"有人已经蒙起自己眼睛开始倒数，大家瞬间鸟兽散。

我撒腿往小区深处跑，直到听不见任何声响，直到这里只剩下我自己的脚步声，我钻进一栋小高层的一楼，这里的每栋楼结构都是一样的，不光结构，所有房屋的朝向也是一样，整整齐齐毕恭毕敬，底层的大厅有一个绿色的邮报箱，我贴着它躲起来，偶尔探出头瞄一眼大门口，要是有人经过，我立刻把头缩回来，屏气凝神直到门口的人走远，总而言之时刻处在备战状态。

"啪！"一只手拍在我肩膀上。"啊！"我叫出了声，回头一看，一个叔叔站在我身后，他穿着蓝白相间的衬衫，皱巴巴的像很多天没有洗过的囚服。

"我们去看海鸥吧，好不好？"他问我。

"啊，你说什么？"我扶着邮报箱站起来。

"海鸥，一种鸟。"他很认真地解释着。

大厅的大门忽然被推开，我忙不迭地躲回邮报箱后面，脚步越来越近，我期望着这个叔叔能替我做掩护，但他神情淡然好似驾鹤归去似的，魂灵也不像在这里。正在我绝望之际，脚步声停住了，我面前停下了一双球鞋，我抬起头。

"我的妈啊原来是你啊！"

面前站着的是一个和我一样在游戏中的逃跑者，在学校里她和我念同一个班，也是我的邻居，她的名字叫一一。一看到一一我就有种不想上课的情绪，太想出门玩儿了，沿着小区外围跑两圈也很开心的。

"你怎么也躲到这儿来了？"一一不知不觉拉起我的手，我也紧紧拉着她的，我们就像两个被绑架的姐妹那样相依为命。

"我们去旁边看看吧！这里他们迟早会找到的。"

"好啊，我们快走吧！"

"去找海鸥吗？"大胡子站在我们身后，我这才又想起来这个叔叔，他依旧站在原地盯着我们。

"这人谁啊？"——问。

"我也不知道，他问我要不要和他一起找海鸥。"

"嘘……"——凑到我耳边，"我觉得，他是坏人。"

"为什么啊？"

"这里根本没海鸥！海鸥是在海上的，这里只有麻雀！"

——口中的"他是坏人"四个字如同晴天霹雳划过我的心头，我说："那……走！咱们走！"

大胡子靠近我们，"相信我，真的有海鸥，你们想不想坐在海鸥的背上，飞到天空上面去？"

我停下脚步回头看着大胡子，他则是满脸的期待。其实我一直很向往能够学会飞翔，但是除了动画片里的人，在生活中我从来不认识一个会飞的人类。语文课上学造句，根据"既……又……"来写，我写的是"我既要学老和尚背很长的经，也要学会飞。"那天下课老师立马把我爸叫到办公室谈了很久，谈关于我的教育问题，不能灌输迷信的东西，要相信科学。我爸也假装很虚心地接受老师意见，顺便夸我是小知识分子，跟我说想写什么可以自己在家里写，不一定都要写进作业里，回家后还给我炒了番茄炒蛋，我爸真棒。

"你真的能让我坐在鸟身上飞吗？"我问大胡子。

"你跟我走，我带你去。"

"为什么你自己不去？"

"我一个人去不了，只有小孩儿能去。"他诚恳得有点过头了。

我松开了一一的手，跟她说："你在这里等我，我去去就回。"

"你别去！"

我听见一一在我身后大声地劝阻，但声音越来越小，我已经跟着大胡子往楼上走去，快到顶楼天台的时候，我回头看看身后，我的同学没有跟上来，也许她在底楼等我吧。大胡子打开天台的门，我跟着也站了上去。本来我以为天台是很高的地方，能够一览众山小，但真的站在那里，觉得也没那么高，虽然是这栋楼最高的地方，但周围的楼和它一样高，也就平起平坐的感觉，不远处轰隆隆地都在造房子，尘土飞扬，建筑拔地而起。我想我会渐渐熟悉这种烟尘的，这里那里还有许多处不大不小的空地，这种空地造花园显大，造游乐园又显得太小，所以早晚都得用来造房子。

楼下的马路上行人提着大包小包步履匆匆，一辆辆车飞驰而去，也不知哪里传来的女声，"倒车，请注意。倒车，请注意。"它就这么不厌其烦地一遍遍重复，一时间，整个世界好像都被这个女声塞满了，它可以一下子自我复制三千万个自己，站在这个城市的角落里念叨"倒车，请注意"，很吓人的，震耳欲聋。

我紧闭双眼捂住耳朵，声音一下子就没有了，我确认这声音没有了之后才敢松开手睁开眼睛，却发现自己站在一个造到了一半的大楼里，全是钢筋水泥混凝土，几个农民工端着碗蹲在地上稀哩哗啦地吃饭，其中一个民工看到了我，笑嘻嘻地站起来朝我走来，大概他头发太油，长得也有点丑，把我吓了一跳，我哇地开始哭，我平时也不是很爱哭的，但如果真的感到不高兴，也偶尔会哭得蛮厉害。我刚哭两声又看到他还朝着我走来，我撒腿就跑，他在后面追，我印象里就算玩捉迷藏自己也从来没有跑得如此快过，一蹦一跳一跑，像脚底粘了弹簧，跑了很久终于跑到楼梯那儿了，因为这房子造到一半，楼梯也是简陋的坑坑洼洼的，但我竟然能以一种跑酷的姿态下了一层又一层，累得不行，我想我的妈啊那个民工不会再来追我了吧！没等我站定，就看到他一手提个饭碗一边飞速向我这儿冲过来，要是我脚下粘的是弹簧，那他脚下的就是火箭。我很绝望，想放弃了，心想算了，捉到就捉到吧。

我看着他离我越来越近，他头上因为油脂太多而黏在一起的一簇簇头发因他的跑步而一上一下地在脑门上跳动，他头顶上的恶心毛发让我忽然想起了大胡子，对啊，这个人跑哪里去了呢？

就在我想起大胡子的时候，他忽然就出现在民工的身后了，他伸展双臂一把拉住民工，民工手里的饭碗掉在地上，稀饭铺了一地，大胡子掐着他的脖子，他脖子以上都开始变红了，青筋也爆出来了。

现在回想起来那一段真的很唯心的，当时还没学过唯心论，年幼的我姑且就叫这种感觉为心想事成好了。

"我操你妈的不许找小孩子的麻烦，听到没有？"大胡子怒吼道。

"嗯……嗯……"那个民工憋红了脸拼命地点头。

大胡子拉上我就开始往楼下走，到了地面我才看清楚，原来这里就在我家附近，虽然我不晓得刚才是怎么一下到这儿来的，但看到大胡子我就想到了飞翔。

"海鸥，你说可以带我飞的海鸥呢？"我问他。

"等我去办一件事情，看一个人，完事后你就能坐海鸥了。"

"你不会骗我吧叔叔。"

"不会的，我不骗人……"刚才那个怒目圆睁的大胡子不见了，变成了一个忧伤的大胡子，我也不清楚我的问题戳到他哪里的痛苦，但他分明显得心事重重的。他带着我沿着人行道慢慢走，时不时地看看表，那个表除了 1 到 12 的数字，没有时针分针和秒针。走了许久，大胡子停住了脚步，站在原地，转了个身，我听见他默默地对自己说："时间要到了。"

马路上不仅我和大胡子，几乎所有人都停住了脚步，面向马路站着，没有人说话了，马路上也忽然没有一辆车子了，只剩下所有人很轻很轻的呼吸声。

哒、哒、哒，马路左边传来了脚步声，大家都伸头向声音传来的方向看去，我个子小，只能在大人们的腿之间穿梭，趴在他们的裤缝中依稀看见一些马路上的情景。驶来一辆观光车一样的大车子，车顶是一个大平台，几个叔叔阿姨站在上面，有的人跳舞，有的人唱歌，有的人不停地做着后空翻，还有人敲着锣，一个短发阿姨扭着秧歌，但他们都是面无表情的，我想也许是我看得不清楚，也许他们是有表情的。在车子的最后面，还有一个人在大汗淋漓地炒着菜，油烟很大，在这辆车子行驶的时候会以为他烧饭冒出的油烟是车子的尾气。

但无论他们的动作如何丰富精彩，居然听不到一点声响，唱歌的只能看到嘴型，烧饭的也只能看到油烟，只有车子的哒、哒、哒的声音回荡在马路上。

待车子开远了，行人才松懈下来，轻声叹气，筋骨也重新活动开来的样子。大胡子带着我继续往前走，我不喜欢这里的氛围，我有点不想去，但大胡子还是使劲拉着我往前继续走。我们走到一处废弃的小楼，从门口裂开的门牌可以看出这里曾是一家医院，我们小心翼翼蹑手蹑脚地走进楼里。

"叔叔，我们干吗要来这儿啊？"

"嘘！轻点儿！"他压着嗓子说。

"叔叔，我们干吗要这样说话啊？"我也开始压低自己的声音。

"我找一个人，找到后，我们就能走了。"

"好的好的。"我已经差不多忘记要坐海鸥上天空飞翔的事情了，我唯一的感觉就是得快点离开这儿，这里的空气压得我无法呼吸，我只有在学游泳的时候有过这种感觉，游到深水区，只露出脖子，胸口被水压着，要很用力地呼吸才行。

"好了，我要找的人就在楼上。"他指指前面的楼梯，一阵窸窸窣窣的脚步声从那边传来，我们嗖一下躲进墙后，我看见刚刚马路上那辆车里的男女老少沿着楼梯上了楼，那些能歌善舞的人此刻已经没有了表演，表情也是有点不舒服的，而另外一些稍微年轻的人，跟在他们身后。

"我等下上去，你就在这里不要走开，哪里都不要去，知道吗？"大胡子一把将我抱上凳子坐好。

"嗯。"我点点头。

"你要是乱走，就不能飞了知道吗？"

"知道！"听到飞，我又有点兴奋。

"嘘！跟你说过了，轻点儿！"说完他转身也上了楼梯，三步并做两步走。现在这里只剩下我一个人，此刻虽然是大白天，但屋子里被茶色玻璃挡去了阳光，只有一道道光线射进来的地方能看见空气里飘浮的尘埃。我跳下凳子左右环顾，这里根本看不见原先医院的影子，没有病房也没有病床，不见叫苦连天的病患也见不着神色匆忙的护士，没有刺鼻的消毒水味道，只闻得到一点木屑和尘土混杂在一块儿的装修味儿，在走道的一边，横躺着一张麻将桌，麻将散在地上。

　　我感到无聊，不想继续等待了，便朝着楼梯走去，越走近越能听到楼上的声响，我上前两个台阶，脑袋贴着墙壁使劲想听到些什么，墙的那头传来音乐声，欢天喜地的那种，敲锣打鼓，像是在开派对，我又往上走了几个台阶，听得更加清楚了，走到二楼，正对着昏暗的大厅，大厅左侧有一扇虚掩的门，里面一定是亮堂堂的，从我这里看，门边透出一丝金色。我蹑手蹑脚地靠近那扇门，透过门缝我看到那群敲锣打鼓的中年人和领着他们来到这里的年轻人。大胡子忽然站了出来，"不是他！我要带他离开！"他指着一个戴着白帽子的老人，老人手里提着一个小喇叭。

　　一个年轻人轻蔑地告诉他，"决定都已经通过，改不了了，你走吧，不然就和他们一起。"

　　"不不不，决定可以改变的，可以改变的！我今天来就是带他走的！"

没等大胡子说完，两三个年轻人就站了出来，押着大胡子准备走出那房间，我急忙躲在窗帘后面，却发现一只死蜘蛛，但我不能叫，只得捂住自己的嘴巴。

"告诉我，"大胡子喘着粗气，"告诉我还有什么弥补的方法！"

其中一个年轻人想了想，示意大胡子一起下楼。我依旧躲在帘子后面，听到楼下噼哩啪啦叮铃哐啷的，等到声音渐渐小了，我慢慢从帘子后走出来，从楼道间的缝隙望下去，看到他们仨坐在楼下搓麻将，看来刚刚那张横躺的麻将桌已被他们扶正，散落一地的麻将牌应该也捡起来了。

"一条。"

"二条。"

"东风。"

"吃！"

年轻人眉头一皱，看着大胡子，"这你都吃？"

"嗯。"大胡子点点头，忽然又明白过来，"不对不对，看错了……"他把刚刚吃进的东风放回了桌子中间。三人尽管相对无言，因为牌未结束，那张桌子好似也不冷清了。

"他知道是我说的吗？"大胡子问那几个年轻人。

"知道。"一个人边理牌边回答他。

"什么！"大胡子的声音听上去有些崩溃，"我不知道结果会这么严重，是他们逼我的！这不是我的意思！"

"九万！"年轻人继续在出牌。

"不行……我要进屋和他解释！"

"嘿你还真是难缠啊，他不仅知道是你说的，你写的那些东西他都看见了，明白吗？"

大胡子愣愣地看着两个年轻人，"那是你们逼我写的……"

"到你出牌了，别发愣。"

大胡子随手从自己面前那摊抽出了一块麻将牌。

"算了算了，你在这里等着，有消息我再告诉你，走，我们上去吧。"另一个年轻人将自己面前的牌胡乱打散，起身后把凳子踢倒在地，发出很响的声音，听到他们慢慢上来的脚步声，我又躲回了窗帘后面。开门，关门，这里又安静下来。

我从帘子后出来，看到大胡子也上了楼，他看到了我，我也看到了他。门里忽然有了动静，他做了个手势让我赶快躲起来，我只好重新回到窗帘后面。那扇门又开了，哗啦啦很多脚步声，没有人响亮地讲话，只有窃窃私语。

"我能带他走了吗？"

"想得美！"

"那我能进去看看他吗？"

"别挡我路。"

　　我不敢往帘子外头看，只好盯着脚下那只死蜘蛛，我不知道它的眼睛长在什么位置，但它也像在看着我。我和蜘蛛互相看了一会儿，大胡子拉开窗帘，我这才敢出来。那只蜘蛛忽然翻了个身，飞快地爬走了。

　　"帮我个忙，我进去看看，要是楼下有人上来了，你就立刻告诉我，可以吗？"

　　我半知半解，但他也顾不上我的感受，已经打开门走了进去，也不知道那扇门里到底藏着什么东西，大胡子进去之后就没有出来，我在外面等了很久，楼下终于有了动静，我敲敲门，里面没有反应，我推开门，看见大胡子跪在地上，满脸都是泪水。

　　他的面前躺着一个看不清面孔的人，因为他的脸已经裂开来了，从中间裂开，像凿开了的核桃，鼻子早就不知被裂到哪一边，嘴巴劈成两半，头中间的那道裂缝一张一合地像是在说话，里面露出暗红色的内里。这回我没有被吓哭，因为我还不确定这个东西是不是人，即使他有一个人的身子和一个裂开的脑袋。

　　我跑到正在哭泣的大胡子身边，他哭得一抽一抽的，在此之前我从未见过一个大人哭，只有我的那些好朋友哭，鞋子脱不下来会哭，玩具被别的小孩子抢走了会哭，吃不下午饭会哭……但我从未见过一个本应高高在上的能够将我们一把抱起的大人哭泣，看到他一哭我也很难过，心里像压了块石头。

但我不明白他在哭什么，之前还是很平静的，屋子里的那些人干了什么让他这么伤心，我不明白，也没有头绪，我想那就找点开心的事情让他停止哭泣，能够让他站起来离开这个昏暗的地方。就像我和朋友们玩游戏的时候，当我因为抢不到玩具快要哭之前，大眼睛男孩就把自己的玩具递过来说道："喏，还是给你玩吧。"他不知道我要的并非是这个玩具本身，而是通过自己的力气得到玩具。他现在这样地递给我，反而让我哭得更凶。

"叔叔，我们去找海鸥吧，你说它能带我们飞翔的。"我试图安慰大胡子。

大胡子用袖口抹掉眼睛和脸上的眼泪，抬起手臂看了看那块没有时针分针的手表，吸了吸鼻子说："是得走了，我们走。"

"是他吗？"身后传来陌生的声音，我和大胡子回头一看，刚才几个年轻人又出现在门口。

"是他。"

"行啊你，还赖在这儿！"他们其中一人很用力地冲大胡子扔了块麻将牌，企图击中他，但却落进了那个裂开的脑袋中间的缝隙里，他发出痛苦的呻吟。大胡子跪下身冲那个人喊，爸爸！爸爸！

我这才确定那个躺在地上的东西是个人，一个活生生的人，他是大胡子的爸爸，他的脑子已经裂开来了，还有一块麻将牌掉了进去，他还活着。

"带走！"走在最前头的年轻人说，"说不准还能从这人这儿问出些消息来。"

"和我没关系！我是来找人的！"

"小孩也要带走吗？"站在后面的那个年轻人问道，我认出他即是刚才打麻将的其中一人。

正当最前头的人犹豫的时候，大胡子一把抱起我，朝那几个年轻人冲去，那几个人大概是怕自己给撞了，赶紧闪了开来，正好给我们留了一个通道。当他们反应过来的时候，大胡子已经带着我在下楼梯了。

他奔出那栋小楼，放我下来，我迫不及待地朝马路上奔去，大胡子跟着从我后面出来。他蹲了下来，和我平起平坐，"我想没有人来救我了。"

我问他："叔叔，那我们接下来怎么办？"

"你不用害怕，你还能回去，你还是个小孩子。"

但我听见他在默默倒数，"十九八七六五……"空中传来一阵啼叫，一只巨大的鸟从空中飞落下来，就和直升机一样大，白羽毛大翅膀，我惊恐地看着它。

"这不是海鸥……"我说。

"是的，只是大一点聪明一点。"大胡子边说边把我举起来，抱上了鸟背，我能感受到它的呼吸它的抖动它的节奏，"抓紧它的羽毛。"然后大胡子自己也爬了上来，坐在我后面，那只鸟扭了扭脖子，开始抖动身子，大胡子滑了下来，没等他再次坐上去，海鸥就飞了起来，海鸥把他留在了那里。

　　我闭上眼睛，紧紧抓着那鸟的羽毛，很牢固也很通透，每一根羽毛上都藏着它的呼吸。风在耳边呼啸，我渐渐睁开眼，我看见了脚下的城市，海鸥带着我飞翔，飞过了我的幼儿园、我同学的家、我自己的家，同样的建筑，却遥远而陌生，我一点都不惊喜。能不能喜欢上一个地方，和那里的气候、风景、建筑是有一些关系的，主要的还是生活在那儿的人，但在这里，我一个人都不认得，而且他们看上去木讷又容易愤怒，若是让我在那儿停留的时间长一些，我大概还是不会喜欢他们的。

　　海鸥降落在顶楼的天台上，我沿着它的翅膀像坐滑梯一样滑落下来，它盯着我直到下天梯的那扇门，用脑袋顶了顶我后背，示意我开门下楼。我打开门回头想仔细看看它，却发现它已经飞出了很远。

　　我打开天台的门，沿着楼梯下去，同时感到天空又一点点亮了起来，并不像刚才那般阴郁，光线透过楼道里的窗户洒进来，我探出头从楼梯间那道缝隙往下看去，有一个身影站在下面。

　　"——！"我大喊。

——站在一楼的邮报箱旁边，她显然被我吓了一跳。"原来是你啊！你也躲在这里？"

"我们不是先前才见过吗？是我先来的！"

"明明是我先来的！"——不依不饶。

"那个大叔来了会替我证明，是我先来的！"

"哪有大叔？"——问。

"他们马上会找到这里来，我们去旁边吧。"我不再辩解，拉上——，推开门跑了出去。

我说的"他们"，是那几个打麻将的大人们，我想当时——肯定以为是游戏里来捉我们的同龄小孩子。

在往后的很多年里，我再也没见过大胡子，也没见过那些意气风发的年轻人，不知道那天我走了之后那些年轻人有没有找到大胡子。有的时候，从窗外会传来一个男人的怒吼声。

我问妈妈，是谁在叫呀？妈妈说，不管是谁，不要靠近他。我问爸爸，爸爸说，那是一个精神病。我问祖母，祖母说那是一个可怜人。

最后人们都说，那是一个精神分裂者，在春天里发病，冬天里回家冬眠。

我打开窗探出头左右张望，路上的行人依旧沉默无语地步履匆匆，那声愤怒的吼声像从左边的弄堂深处传来，又像是从对面马路的高层里，有时候听上去从天而降，也许从地底传来，最后渐渐湮没在汽车鸣笛声中。这吼声里是绝望是后悔，也带了点愤怒。

有时站在窗前看到远处的黄昏日落，天空是浓重的橘红色，掺杂了淡淡的粉，我也会怀疑是不是又回到了那个有海鸥能带我飞翔的世界里，直到屋里传来父母喊我吃晚饭的声音，水汽氤氲爬上窗玻璃，有了烟火气，我才回过了神。

此刻很奇妙，我看到大胡子站在我对面，他刮去了一脸的胡子，两手插在裤兜里，就是一个普通的路人。那种感觉很奇怪，两个人因为时光流逝而改变面容，多年后再次相遇，站在车水马龙乌烟瘴气的街头，周围的一切慢慢静止，你只要站在原地，等着那些声音一点点消失，然后享受这个安静的瞬间。最后啪的一下，所有声音又都回来了。

"还想去看看吗？"

"哪儿？"

"那儿。"他嘴角稍稍向上了一下。

"走啊。"

我们来到那栋我们曾想看海鸥的烂尾楼。

"这楼已经建好了。"他说道，然后我们在楼下兜转了两圈。

赵氏孤儿

　　徐雪反复琢磨周末要不要带着丈夫一起去张大师的家里，自从八年前她就再也没和张大师联络过了。当年张大师在看了徐雪和一个姓赵的男人的生辰八字之后告诉她，上次你告诉我的那个王姓律师命里多水，不适合你，但这次这个赵先生是一个可以托付终身的男人，你们的结合能让你摆脱命里的厄运，也能让他的事业顺风顺水，你甚至可以做一个全职太太，只要关心哪里能够预订到最好的下午茶就行了。

　　虽然距离这件事情过去已经有些年月了，但当时的情景徐雪依然记得，她焦急地等待着张大师告诉她的人生道路，心在胸口怦怦跳动，听到张大师这么一说，她立刻舒了口气，攥着那张被张大师用来比比画画的草稿，站在路口打电话给母亲，把张大师的话原原本本复述给母亲听，她们管这叫做测试结果，就因为张大师的那些话，她已经放弃了和其他两个男人共度一生的可能，电话里她听见母亲把消息告诉了父亲，听筒里也快要开出一簇鲜花了。

在她自己最初的计划里，本来这位赵先生的胜算并不大，她没有花心思去了解过这个男人，只知道他在外企上班，干一份朝九晚六的工作，好处是单位地处市中心，交通方便，但工作起来没日没夜。有一回徐雪和他一起吃晚饭，赵先生接到老板打来的电话，他就坐在徐雪对面捧着电话唠叨了半个小时，最后索性侧过身，用一只右耳对着徐雪；相比之下，律师王先生则没那么以自我为中心，看上去是个平时生活也接触不同异性的人，从他的交往技巧和小细节中可以看出来，除了这人有一些世故之外，在这点上徐雪觉得还在可以忍受的范围之内；徐雪的另一个候补队员，电视台编导陈先生，相对更幽默一些，这大概和他的工作有关，这种工作让他养成了这个习惯，但要是真的和陈先生生活在一起，很可能总是让人提心吊胆的，她可没力气用大把时光去研究如何保持夫妻间新鲜感这种事情，她只是想找一个能够和她一块过安稳日子的男人。

随着年纪增大，徐雪越来越看不懂自己年轻时候的选择，当然她也不会真的去琢磨自己这几年的心路历程，她还有更重要的事情去做。总而言之，现在目标锁定在赵先生身上，她得快点想个办法和他订婚，她的大多数朋友都结婚了，再这样拖下去，她知道自己早晚都要被排除在姐妹聚会之外。

"倒，倒，倒呀！你倒是倒呀！"八年之后，徐雪带着丈夫一起来到王大师家中，她坐在副驾驶上指挥丈夫把车倒进一辆面包车和一辆保时捷之间的空位里，"好极了，这边是面墙！我出不来了！"

赵先生没回应她，打着方向盘，按原来的路径把车开了出来，徐雪钻出车子，跑到车头前面，双手交叉着站在那儿等着丈夫把车停好。一个腰上挂了个小包的老太沿着里弄之间的过道，蹬着一辆脚踏车晃晃悠悠地过来，问他们收停车费。

张大师的家就在市中心边上的老宅里，这可不是政府等着推倒的破房子，而是过去洋人留下的，其中一些房子里，住着好几户人家，至今依然共用厨房和卫生间。但张大师一下子就买了一整栋，只要一进门就能感受到它和那些拥挤不堪的老洋楼的区别所在，这个建筑贴着市中心，却隔着几堵墙，闹中取静，有一股能够立刻就把人和外界隔绝开来的力量，而此地只是张大师的房产之一，他在法国和美国都有住宅，他的老婆住在法国，子女留在美国，除了这两地，他还经常飞去香港，他说自己的很多大客户都是香港人，香港人更相信这个。

"这里不能停车。"老太骑着自行车一边叫嚷，一边跳下车，把自行车往墙上一靠。

顺着老太站着的方位看过去，她的身后是一道悠长的里弄，两边是低矮的老别墅，里弄尽头是从大马路分支出来的一条小路，在它上面的天空里，一道烟划破天际，想必是飞机留下的痕迹，那一道烟，笔直如剑般地插下来。

"可是这么多车都停在这儿。"

"要二十块一小时。"

"这儿还收费？"

"我们这也算私人住宅区啊。"

徐雪掏出钱包，"先给你四十，如果时间超过的话，我出来再给你。"

老太接过钱一溜烟就没了，抬头看，那道烟杵在上空。

"你在看什么？我们等下往哪儿走？"丈夫把反光镜收了起来。

徐雪盯着那道烟看得入神，这东西像是要把她吸走了似的，"哦！这儿，这儿，走走走。"

她试图勾着丈夫的胳膊，但快要触碰到他肘部的那一刻她退缩了，这让她的身子不由得颤抖了一下，然后从后面加快了步伐和丈夫平行地走，走到那扇没有猫眼的防盗门之前，她的心跳加快了，和八年前一样，每一次到这儿来她都准备花一些钱改变一下命运，只要生活不陷入困境，只要自己的愿望能够实现，虽然这些愿望并不是她真的渴望拥有的，只是如果不进一步努力，她就要掉入万丈深渊，一直以来，她都没有做好抗争命运的准备，她不明白，平平凡凡过一辈子就那么难吗？

张大师给他们开了门，这回是张大师第一次见到徐雪的丈夫。

"呦！我们好多年没见了吧？你没怎么变哦！"张大师和徐雪寒暄几句，越过徐雪，和她的丈夫赵先生握了握手，赵先生粗略地看了眼这个老头，并不像徐雪说得那么神神叨叨，非常平凡的模样，羽绒服配一件衬衫，羽绒服他只是随便一裹，进了房间就立刻脱去，虽然室外的气温让人冷进骨头里，但一踏进这间屋子，里面就像个大暖炉。

"说明你的工作做得不错。"张大师把羽绒服挂在门口的钩子上，对赵先生说。

"我的工作？"

"你保护老婆的工作呀，不然她怎么那么年轻。"

"不敢当，她自己折腾得好。"他们三人沿着楼梯下的一条走道走到最里面的一间房间。

"这是张大师工作的地方。"徐雪向自己的丈夫介绍，"这些是他的画、他写的书，还有这些，是他和名人的合影。"

"他们都到这儿来过？"丈夫的语气里依然带着调侃，他脑海里浮现出那种挂着老板和名人们合影的油腻腻的小餐馆。

　　张大师指着墙上的一张合影，"虽然他们现在离婚了，但没离婚的时候，她找我给她算一算，她到底什么时候才能怀上，我就给她算，我让她平心静气地，不要着急。果然！那一年他们的第一个孩子出生了。"

　　"那我们真该早几年来找你，就能知道……"赵先生停顿了一下，改口说，"没什么。"

　　"你怎么老是这样说话说一半！要说就说吧！来都来了！"

　　"干吗？难道还能起死回生？"

　　"那试试总比不试好吧！"徐雪一屁股坐在红木凳子上，涨红了脸。

　　"等等！"张大师插在他们中间，"谁死了？起死回生我做不来的，我没那么大本事，你们给我再多钱也不行。"接着他娓娓道来一个快要入狱的贪官的故事，这人老婆孩子提着一麻袋的现金来到这里请求他的帮助，但事到如今一切已成定局，命中注定的事情就是无法改变。

　　这对夫妻都默不作声，一个坐着一个站着，张大师伸出一只手示意赵先生也坐下，赵先生看了看妻子，绕道坐在另一边。

　　"这样，我们一点点来，谁也不要着急，你先跟我说说，我上次给你算得准不准，你结婚后事业是不是顺利多了？"

"你算了什么？"赵先生朝徐雪挪近一些，徐雪慌张得不敢看自己丈夫，丈夫转头又问张大师，"她算了什么？"

张大师这才渐入佳境，这种算卦的生意，只是他所有生意中很小的一单，他抽出了这天下午，所以并没有放在心上，要是知道这两人之间夹着那么多麻烦事儿，他宁可不挣这笔钱，待在书房里练字。

"你结婚前来这儿算卦？你算了什么？算算能不能和我结婚？我操！"

徐雪默不作声地揉着太阳穴。

"我感觉我被骗了。"

"你没被骗。"徐雪无法辩驳，她知道现在丈夫正怒目圆睁地瞪着自己，她只得把头扭到一边，看着窗外，那一道烟又出现在她眼前，就在窗外，刚才进门之后通过的那条走廊正好和烟的位置垂直，她才得以从这房间里正好看到它。她眯缝着眼睛想看清这道烟的细节，它是如何一气呵成的？周围没有一丝分支出来，后面那片云也没有叨扰到它的生长。

它好像越来越粗了，徐雪心想。室内的其他两个男人默不作声地等着徐雪说话，等了一会儿，张大师走到书桌前，打开一台形状奇特的电脑，它非常小。

"还是先把你们的出生年月日，还有几时几分都写下来给我。"

张大师面无表情地对这对夫妻说，他总算进入了角色。

这对夫妻都克制住情感，写下各自的日期交给张大师，一边祈祷着一边等着命运的真相展示在他们眼前。

张大师把这些数字小心地输入电脑里，这个动作他做了千千万万次，电脑很卡，但幸好今天没死机，此时此刻大家都等着测试结果，房间里回荡着鼠标按键的咔嗒声，张大师先是对着电脑上的几张表格看了半天，再把它们都打印了出来，盯着两张纸又看了半天。

"行了！"张大师终于发声了，这对夫妻如梦初醒，他坐回凳子上，把两张纸放在桌上，目光如同一台扫描仪，看看徐雪，又看看赵先生。赵先生本来是怀着看好戏的心思来的，现在却被张大师这些神叨叨的肢体动作弄得心底发慌。

"你们会经历一场大的劫难！"张大师说。

"我的天哪！太准了……"徐雪差点站起来。

"这个我之前没有预测出来，因为这是忽然产生的，你们本可以避免。"

徐雪眼眶已经湿润，靠近丈夫坐了坐，"我们真的应该早几年来找您的。"

"把你们的情况仔细和我说说，我根据这个，"张大师用食指轻轻敲击了两下桌面，意思是指桌上放着的刚刚打印出来的那两张纸，"才能更好地解答你们的疑惑，告诉你们未来的日子里应该何去何从。"

"我们失去了一个孩子。"

"什么时候？"

"三年多前。"赵先生说。

"哦……三年多前……"张大师又上下打量了他一番，眼前的赵先生穿着深色西装、浅色裤子、尖鼻头、小眼睛，倒不是贼眉鼠眼的那种，说话的时候他就笔直地看着你，"那么，是你们自愿的还是因为意外原因？"

"意外，那天我走了很多路……"

"得了吧，你根本就不想要这个孩子，你不想因为这个孩子失去工作！"

赵先生坚决地认为妻子的身体健康，不可能因为走了一点路就发生意外的。

"我不想要孩子？你现在回去看看冰箱上贴的是什么，你要是再这么说话我们就没有交流的可能性了。"

"你们家冰箱上贴了什么？"

"根据我的排卵期制定的受孕时间表，我们会在那些时间里面做爱。"

"就像课程表一样？"张大师问，他们同时点点头。

"没有任何收获？"

"没有。"

张大师低下头又开始研究那两张表格，夫妻二人坐在他的对面等待着，徐雪感觉手心开始冒汗，她脑海里一片空白，一个词都想不出，她起身走到床边，深深叹了口气，远处那道烟的形状开始变得圆滑，在中间位置向右弯曲了一点，形成一个弧度，徐雪记得刚才还是一条笔直的直线，很可能是风把它吹弯了，她心想，要是有飞机开过，它就得断成两截。

"我们努力了很久，一次都没有成功过，这也太奇怪了吧！不过我也联系了我妇产科的朋友，她让我去美国试着找人代孕。"

"对，不管多艰难，我们只想要一个孩子。"

"一个就够了……"

"然后我可以辞职，做全职太太，我们还能再要一个，如果第一个顺利出生的话……"

这对夫妻脑海中想象着那番画面，房间里的气氛比之前缓和了不少。

张大师咳嗽了一声，徐雪赶紧坐回凳子上并等着他发布测试结果，她很想拉起丈夫的手，迎接大师告诉他们一切的真相，但她又一次克制住了，她感觉这种克制根本不是什么自我控制，分明是有个人在她身上拴了绳子，像操控木偶一般操控着她，最令她苦恼的是，她不知道是谁在幕后操控着这一切。

"看来你们真的希望有个孩子。好，我现在和你们仔细地说一下这前因后果，一件一件地解决。首先在我们这个世界里，如果是一个婴儿自己想要走，在这样的情况下，这个婴儿日后一般是不会和你们有什么瓜葛的。"

张大师继续说："不过呢，要是这个婴儿投胎轮回到了你的身体里，你作为他的母亲，通过某种手段赶他走的，那他会怀恨在心，虽然我们从物理的角度来说，他的此轮生命已经终结，但是你们要知道，轮回转世是要经过漫长的等待，他好不容易等来了，却被你们亲手毁灭，他可不会这么容易就走的哩。"

这回徐雪总算拉起了丈夫的手，但却是在无意识的状态下，赵先生伸出另一只手轻轻拍了拍徐雪的手，然后抽出了自己的手，他刚才之所以那么生气，倒不是因为徐雪的行为，而是他害怕自己曾经这种和妻子一模一样的心思暴露于光天化日之下，他已经记不清那时候是如何做到的，曾几何时他将那个想法放进小盒子里，再把这个小盒子埋藏起来，用心上的肉一点点儿地掩盖好，就为了不给人发现，而刚才那一刻，他用愤怒来掩饰虚伪，经历过这种感情变化的人都深有体会，能一眼看穿他的。现在他明白了，不管张大师说的是真是假，他和自己妻子其实没必要再对着干，他们是同一类人，应该互相扶持才对。

"那我们该怎么办？杀了他？"赵先生问。

"他已经死了，"张大师摇摇头，"所以说他不可能再死一回，我们只能和他谈谈，试着让他离开。以我的判断，你一直无法怀孕可能与他有关。"

徐雪又站了起来，配以丰富的表情和肢体动作，站在房间中央，仰头对着天花板，"喂！你不能动你兄弟姐妹的一根汗毛！听到没有！"

"你在干吗？对空气讲话咯？他又听不见的……"赵先生自言自语道。

"你坐下来，坐下来！冷静一下。"张大师心不在焉地对徐雪说。他心里盘算着下一步该如何让这对夫妻对自己信服，对于生死话题，张大师比谁都清楚它的力量，谁都吃这套，哪怕天天和这道界限打交道的人，一旦真的靠近了它，还是会让人哆嗦。张大师要做的就是以神灵的名义，为这界限重新命名，这样弄的次数多了，他一时也分不清真假，有时候大晚上，他躺在自己那张铺着两块床垫的大床上回顾这一天遇见的所有人和所有说过的话，他越来越佩服自己，但同时也陷入了一种此前未预感到的恐慌。他感觉自己说的话实际上是很有道理了，天哪，这该不会是真的吧？他问自己。实在困惑的时候，他就索性关灯睡上一觉，醒来一切都会好的，今天的他一下子就能忘记昨天的忧虑。

赵先生从兜里掏出一盒香烟，拉掉外面的塑料膜，"问个问题，你能看到他吗？"

"这里不能抽烟。"张大师的思绪被打断了，他拉开桌子下面的第一个抽屉，伸手进去摸索一番，那里面只有一串楼上房间的备用钥匙和几支未拆封的新毛笔。他动动手腕，让这些东西碰在一起发出声音。这些小人物也真是够麻烦的，他想，摸索了一会儿他就关上抽屉，"可以。"

"可以？"这对夫妻又一同问道。

"他就站在我们中间，偏左一点。"

夫妻两人手忙脚乱地坐在凳子上，像两个洗澡洗了一半房顶突然塌了的人，惊恐地找浴巾盖住自己的身子似的。

张大师扭头盯着左面墙上挂着的山水画继续说："他还很小，这样的情况比较好办，说通了，他自己就会离开的。"

"对！他是三岁！"徐雪叫起来，"那……他是个什么样子的孩子？"

张大师向他们简单形容了一下这个三岁孩子的鬼魂，他的形体消瘦，但脑门很大，头发有些长，穿了一套红色的儿童球服，一直用脚踢靠墙放着的几张红木凳子，只不过这些有规律的敲击声自然从未传入过任何人的耳中，他停止踢凳子的时候，喜欢站在母亲身边，这种破坏欲和他的容貌并不吻合，他的样子应该是一个乖巧懂事家教良好的孩子。

"他穿着球服？他会打球？"徐雪问丈夫。

"难不成你还不让这个孩子做做运动，至少他有事可做。"

"我一直都不喜欢调皮捣蛋的孩子，我的孩子应该是文雅高贵的。"

"你没听他说吗？"赵先生指着张大师，"他说这是一个男孩儿！你让男孩子高贵、文雅？"

"性格需要从小培养，一开始会有些困难，所有孩子都贪玩，但习惯一旦形成，之后教育起来就方便多了。"

"我不希望我的儿子变成一个娘娘腔，我要让他自由地成长，享受生活。"

"你从没对我说过你有这样的想法。"

"好，我现在说了，你知道了？"

"幸好这个孩子没出生！"话音刚落，徐雪就被自己说的这句话震惊了。

丈夫比画着停顿的手势，像个裁判似的站起来，徐雪左手右手交叉在一起，她开始后悔把丈夫带到这里来了，这间屋子像一面厚实到用榔头都敲不碎的大镜子，映照出他们之间的那道如狼烟般竖起的鸿沟，但要是不叫丈夫一起过来，她总觉得人生的遗憾会因此增加更多，而现在眼前本来可以通行的枝枝条条的路都被堵死了。

"幸好？你说了幸好？"

"我没说过……"

"你几秒钟之前才说的，你看你，一直在撒谎！"

徐雪看着丈夫，脸上没有一丝表情，此刻谁都猜不出她心里在想什么。张大师站到他们中间，示意他们都停止指责对方，"你想要个孩子，你也想要个孩子。"

夫妻二人眼睛都看着地面，徐雪跷起了二郎腿。

"你知道自己需要一个怎样的孩子，要把孩子变成你希望他成为的样子是吗？而你，还没真的准备好成为一个家长。"

"不，不是的……这么说真是太难听了……"徐雪听张大师这么一说，想要沿着这个话题说下去，却被张大师制止了，他指指身后，"你们也不是真的想要他回来，他就算回来了也解决不了任何问题。"

"是啊，我们想要什么？"徐雪问丈夫。

"啊？"

"我们想要什么？"

"你会离开我吗？"赵先生突然发问。

"你在说什么？"

"好吧，等会儿再说……"

"对，等会儿。那我们现在说什么？"

"说说孩子……我们想要他离开。"赵先生说。

"你们想要他离开？他现在就在看着你们，你们知道吧？"张大师问。

"对，我们想要他离开。"

"你们是认真的吗？"

"是，我们决定了。"

"你们决定了？"

"是，决定了。"

"这样操作起来反倒简单许多，就是需要一点时间，"张大师抬头看了看挂在墙上的时钟，"我今晚已经安排了别的事情，你们看看下次我们什么时候再见，把这件事儿处理掉。对了，最后一件事，你们希望听听他的意见吗？"

"你说的是？"徐雪压低声音指了指边上的空地，张大师点点头。

"有必要吗？"

"当然有必要，就跟签合同一样，总不能你单方面签吧，也要得到对方的允许呀。"

"但他和我们不一样……"

"你觉得他和你们不一样？行！不过这是你的孩子，你曾经的孩子。"

赵先生比先前放松了许多，他没有继续听妻子和张大师的交流，他靠在椅背上，掏出手机，徐雪斜着眼注视着丈夫的手机屏幕，他的手指快速地向下滑动，屏幕里滑过一条条之前两个小时里他的朋友们发布的朋友圈。

"喂，你看这条，"赵先生看到有两张拉烟的照片，徐雪凑过去仔细地看了看，就是此时窗外的那一根，只是对方拍摄的场景不同，应该在从这儿还要过去两条街的距离。

"你真的信那老头儿说的？那东西现在就坐在我们的车上？"赵先生问她。

"别吓我了，张大师说会想办法让他离开的。"

"那我们什么时候再要一个孩子？"

徐雪等到车子驶出了弄堂，转弯驶入马路上，她坐在副驾驶上将头探出车窗，因为他们的车需要掉头，她向后张望，又看到那道烟，耳边传来赵先生的声音，赵先生一边转动方向盘一边又问了一遍，"那你说，我们什么时候再要一个孩子？"

第一批骑摩托车的人都死了

　　下午两三点，要是在西班牙，就是全民午睡的时候。但是在上海，所有人已经午休完毕，重新投入工作，无论工作看上去多么无趣，大多数人还是会伸个懒腰，装模作样地打起精神干活。

　　"咖啡还没好啊？"许阿姨拍着餐厅的桌子，连叫了三遍，还是没人理睬她，她的火气跟着一下子冒上来，她冲到服务台前，服务员最怕看见这样的中年妇女，赶紧向她道歉，试图冷却她的情绪，并保证咖啡马上就做好了。但十分钟之后咖啡还是没有上来，因为许阿姨那桌的根本没有下单，于是许阿姨又拍了一次桌子。

　　许阿姨是一位退休中学语文教师，中午刚刚参加完单位组织的退休人员饭局，就跑来和老姐妹喝下午茶。她旁边坐着三个人，本来是四个的，其中一个人去美国看儿子了，一去就是两个月。

"美国有什么好的？上次我和我家老头子去那边逛了一圈，哎哟不是我说，纽约的马路，旧得一塌糊涂，政府也不知道修一修。"

"还是上海好啊！她儿子真的应该回来发展。"

"漂泊在外，说来说去还是不太稳定。"

"你儿子最近怎么样？"

"他每天忙得要死，一跟他提生孩子的事儿就不耐烦。"

"知足吧，我儿子连婚都不肯结，上次总算带回来一个女朋友，那个女的长得倒还可以，可是她说自己从来都不做饭的，这叫什么事儿啊，不会做饭你结个什么婚啊。"

四个阿姨就这么坐在落地窗前的小圆桌旁，一人一杯咖啡，度过了一段愉快的午后时光，直到日落黄昏她们才离开咖啡馆，因为有人要回去做晚饭了。

从早上九点到傍晚六点，这个城市最好的公共资源，都被退休人员占据着。公共交通的座位、新建的城市绿地、公园里的湖心亭、下午茶时间的靠窗座位……他们占领着还毫无愧疚之感，而且他们确定年轻人不会当着他们的面提出异议，因为年轻人这个时候都在上班。

为什么年轻人都在上班呢？而不是在家里睡大觉、阅读、研究美食杂志、观看赛车节目、游泳、打棒球、野餐、带孩子们去

公园看小鸭子？因为这群已经退休的中年人，在自己年轻力壮
的时候就告诉他们的孩子，也就是现在已经成为青年一代的人，
"工作吧！劳动才是最光荣的！"很多时候，你总是以为某一句
铿锵有力的小金句能让他们看清现实，使他们节节溃败，甚至将
他们一秒钟摧毁，还真别说，他们选择的哲学，让他们有至少
一千八百种武器去抵挡这个世界的冒险精神。而那一刻你明白了，
你和他只是站在同一杆秤的两端而已。几十年前他们就串通好了，
让这群傻孩子都提着公文包去上班，让他们在写字楼里争个你死
我活，然后自己就能独享这儿珍贵稀有的好资源了。话说回来，
就算占有的资源再好，在上下班高峰时段，他们照样打不着车。

　　许阿姨站在路边打了快二十分钟的车了，她虽然不急着回家
做饭，但是晚上七点半她和儿媳妇约在公园门口见面，她们将展
开一次漫长的对话，她已经摩拳擦掌地准备好成为家中第一个抱
起孙子的人，每每想到未来某一天，阳光充沛的午后或者星光璀
璨的后半夜，她从医生手里接过那个浓眉大眼的小家伙的时候，
她感觉比自己怀孕还兴奋。她不在乎那团东西到底血肉模糊成什
么样子，她时刻准备着被这一股洪水般的狂喜吞没。现在万事俱
备，只有一个问题，那就是她儿媳妇的腰围只有自己的一半，甚
至更小。

　　"去哪儿？"一辆摩的在她面前刷地停了下来。

许阿姨往右边挪了两步，目光看向远方。

"我这车又安全又结实，不比桑塔纳差。"

"胡说八道，你不知道第一批骑摩托车的人都死了吗？"许阿姨说。

"行吧，那你就站这儿等着，天黑之前你都打不着车的。"这司机一只脚撑着地用右手将拉链拉到领口，一副准备开车走人的架势，扭过头又加了一句，"我说真的，你就算打着了车，高架上堵车至少能堵掉你十块钱。"这句话倒是轻轻一下子就击中了她。

"头盔给我，"她快速地跨上后座，"往大悦城方向走，然后我告诉你怎么开。"

许阿姨被摩托车载着飞速前进，她双手紧紧地拽着司机的衣服，车速越来越快，她感觉自己的灵魂就要追不上身体了，上一次有这种感觉，还是在三十年前的一辆面包车上。

那时候学校组织春游，她带着一个班级去动物园，去的路上她千叮咛万嘱咐，一旦进了动物园，所有车窗都得关闭，不然动物爬进来大家都没命了，"你们是高级动物，不能胡来，胡来的人这辈子都不要春游了。"可就是有人冒着一辈子不春游的风险胡来，一个男生摘下红领巾，伸出窗口，一只熊从树后探出了头，看到挥舞的红领巾，顿时像打了鸡血，朝着红领巾一路狂奔。不少车上的学生都注意到了这只来自远方的熊，整车的学生都乐得

不行，挥舞红领巾的那个学生更加熊来疯，一把将窗子打开。等
熊跑到车子边上，坐在车里最后一排的许老师这才发现异常，往
所有同学目光注视的地方看去，她抓着扶手大声尖叫："关窗！"
同学的目光从熊身上一下子转移到了许老师这边，估计窗外那只
熊也愣了一下。而熊没有让大家失望，就在千钧一发的时候，它
抓到了红领巾的一角，那同学一手拽着红领巾，一手关上窗，留
了一条小缝，准备和熊进行一场拔河比赛。车厢内的加油声也此
起彼伏，大多数声音都是为自己的同学加油，也不乏为熊加油助
威的，这是一场一生一次的竞赛，错过了就很难再遇到，对于人
和熊来说都是如此，看得出来，他们双方都很珍惜这来之不易的
机会。就在比赛进入白热化的阶段，许老师穿越重重人海，一个
箭步跨到窗子边，掏出剪刀咔嚓一下把红领巾剪断了，然后迅速
关上窗子，留下那只熊攥着三分之二的红领巾默默地站在车窗外。

　　事后她以为同事和学生会称颂她的英勇之举，没想到所有人
见到她的第一句话都是："那个学生和熊是不是打了个平手？最后
到底谁赢了？"没有一个人关心她为什么随身带剪刀。

　　而此刻这种感觉又回来了，风声隔着头盔渗进耳朵里，她将
注意力都集中在自己的双手上，手心开始出汗，她遏制着不去尖
叫，她提醒自己别总表现得像一个六十岁的老太太，至少表现得
要像五十岁，虽然她已经六十四岁了。

车子减速的时候，她微微睁开眼睛，侧过脑袋，看到前面是红灯。

"这是什么地方？你带我去哪里？你想干什么？"

"你没来过这儿？"

"你想对我做什么？"

"这就是条小支路，这样走比较快。"

"我不要走什么怪里怪气的路，你给我走回正常的路。"

"沿着这个方向，"司机指给她看，"再穿过几个红绿灯，就能看到高架桥了，你确定往回走？"

"你在绕路，我就知道你会绕路的。"

"我绕你路干什么，我这儿又没有计价器，一口价二十块。"

"二十块？"

"二十块。"

"不是十块吗？"

"谁和你说十块？从你上车到现在，我们就没谈过价格！"司机指着摩托车上印着的字，"这儿写得清清楚楚，一口价二十块。"

"停停停，你靠路边儿，我不走了不走了。"

"那你还是得给我二十块。"

许阿姨一下就跨下了车，摘下头盔。

"许老师？"摩托车司机将车熄火。

"我两块钱都不会给你，更别说二十块了！"徐阿姨恼怒地理了理被头盔压扁的发型，停顿了一下，"等会儿，你刚刚说什么？"

司机也摘下了头盔，他们彼此注视了足足五秒钟之后，终于确定没有认错人。

"哎哟！你不就是那个和熊抢红领巾的学生嘛！"许阿姨做出努力回忆的样子。

"那个是阿庆，我是阿毛啊。"

"哦，是阿毛啊！我有点想起来了，过来过来，我跟你说哦，我二十块钱肯定不会给你的。"没等阿毛反应过来，她又紧接着说，"我最多给你十五块。"

司机阿毛深吸一口气，"许老师，您有没有觉得，现在这一切，都是在重复？"许阿姨奇怪地看了他一眼，阿毛将车熄火，"你想啊，当时您让我留了一级，您还记得吗？"

"不，我不记得。"

"当时也是这样，您一句我一句地争论不休，我不想留级啊，我一留级我女朋友就跟人跑了，她说她不想和学弟谈恋爱，我一看这样下去不行，就找您帮忙，我不就一门数学不及格嘛，数学算什么呀，只要给我一次补考的机会，我一定通过。但您就是不肯给我这个机会。后来我就跑去找我那女朋友，哦不对，是前女友，我到她家楼下，站在她卧室窗户的正下方，对她喊我爱她、

我爱她、我爱她啊。可是她连看都没有看我一眼，直接把我写的那些情书从窗口扔了下来。"

"那姑娘叫什么名字？"

"叫……叫什么来着，奇了怪了，我怎么给忘了呢？"

"不用太费脑筋，就算你说出了那个名字，说不准我压根就不记得有过这么个学生。"

"不，不会的，她是个好学生，您一定记得，老师总是喜欢这种好学生。我记得有一次就因为您没有批评她，她还担心您会不会不再关心她了。"

许老师皱了皱眉头。

"我说的是事实，"阿毛认真地说，"不管怎么样，后来我想了想，您这么做也有您的道理。"

"我做什么了？"

"我是说，您让我留级，说是为了我好，其实您是为了那姑娘好，我要是不留级，很可能日后她真跟我在一块儿了，没准还就成了我老婆了，那她不是跳进了一大坑了嘛。"

"那也未必，说不准你和那个……你已经叫不出名字的姑娘结婚之后，一下子成熟起来，你努力工作事业有成懂得承担责任，为妻儿营造出一个安稳的生活环境。你说我说的，也不是没有可能吧？"

"总的来说，没有可能，别说我现在忘了人家姑娘的名字，再过个几年，我怕连我们是否相爱过都不记得了。当然了，您也没必要把我的人生往你们这一代的观念上靠。"

"什么叫我们这代？我们这代已经老了，退出历史舞台了，现在靠的不就是你们这个年纪的人吗？你们掌控着这块土地，你们才是时代的主旋律啊。"

"太客气了，你们挖的那些坑我们都来不及填呢。"阿毛一边说一边抖了抖脖子，满不在乎的模样。

"你们呀，就是太懒惰啦，不肯自己动手，根本体会不到自己动手丰衣足食的快乐。"

"我们懒？至少我们还动动脑子去思考，如何去偷懒？"

"你是打算就这么一直待在这儿？还是送我回去？"许阿姨忽然从谈话中挣脱出来，"不管过去我让你留了几级，今天你得负责把我送回去！"

"上车吧。"阿毛将头盔递给她，然后发动车子。发动了几次，都没点上火，"完了，又坏了。"

"那怎么办！我七点半可是跟我儿媳妇有约的，我不能迟到！"

"我知道这附近有个地方能修车，您等得及吗？要不这样，您看到那边的小餐馆了吗？您先进去，随便点些东西，然后我把车拿去修，再来找您。"

"太麻烦了，我还是让我儿子来这儿接我吧。"

"您儿子是从市中心过来的吧，那至少还得等半小时才能到这儿。"

"那我自己到大马路上打的，不然时间来不及了。"

"别急别急，这顿饭我请，我请。"

"你请？真你请？那家小饭馆？"许阿姨指指对面马路，"行吧，您快去修车，快去快回，我在餐馆里等你。"

阿毛觉得，许老师听见自己请客，便如此爽快地答应留下来，没有别的原因，就是因为，从来就没几个男人会请她吃饭。三十年前的许老师，长着一双大眼睛，长卷发，天热的时候她还会穿着无袖上衣来学校，但一张嘴，就看见两颗龅牙，如果她性格温和，那还能让人感觉到一丝可爱，可她偏偏是个严厉至极的老师。

阿毛记得很清楚，和许老师的这种性格成反比的，是二楼英语办公室的陈老师，那是一个其貌不扬的男人，走在路上就像个卖保险的，但只要和他待上一会儿，不难发觉他其实是个很有幽默感的人。不仅学生们喜欢提着作业本去办公室找他聊天，连四楼的物理女老师办公室的微波炉坏了都要跑两层楼下来专门让他去修。但这个光芒四射的英语老师一直很孤傲，每天一放学，谁也不管，骑着车一溜烟地没了。日后，阿毛在和女人的交往中，每每处于下风，他就会想到陈老师独自一人、迎着风踩着踏板充满自信的样子。

　　直到有一天，陈老师从车库把车推了出来，然后一直推着车走到校门口，接着又推着车往校门边的小路上走，远远地看到许老师把辫子松了下来，披着一头卷发，背着单肩包，一手握一瓶矿泉水，站在路口等他，最后他们一起消失在小路尽头。这事儿很快就传开了。大家都觉得陈老师真是有眼无珠，一朵鲜花插在了牛粪上。

　　本以为这事儿就按部就班进行了，许老师和陈老师一起下班，过不多久他们就会一起逛公园、一起睡觉，最后一起去结一下婚，变成像教导主任和生物老师那样的学校骨干夫妻。然而没过几天，风趣幽默的陈老师就撇下了许老师，和学校里的一个实习老师一起下班了。这个实习生正好还是许老师带的，大学刚毕业。他们可不是并肩走路那么简单，那个实习生不仅坐到陈老师自行车的后座上，还搂着他的腰，两人晃晃悠悠地行驶在小路上。

　　第二周，许老师就把长发给剪了，剪成了王菲的那种短发，把无袖上衣换成了格子衬衫，隐形眼镜也不戴了，换上了银色框子的眼镜，唯独没有改变的是，她一说话就若隐若现的两颗龅牙。所有人都知道最近这段时间别惹许老师，阿毛当然也知道，但他就是没忍住。下午的一节生物课上，他和几个男生翘了课在操场打篮球，被许老师知道后他们自然没有好果子吃，许老师用了自己两节语文课的时间给这几个男生开批斗大会，连隔壁班的老师都跑过来趴在阿毛他们教室后门偷偷张望。令阿毛难忘的不是许老师冲着自己叫唤，毕竟很多老师都对他这样做过，令他难忘的是，当许老师问起："是谁发起的，翘课去打球？"他那几个哥们儿不约而同地全都指着他。

不过这股紧张的情绪很快就在时光中消散了，就像许老师被剪掉的的长发，一缕一缕地被扫进了垃圾桶。在陈老师和那个实习生结婚后不久，许老师也跟着把自己嫁了出去，而且消息来得相当突然，让大家没有一点点防备，据说是嫁给了一个还不错的男人，那时候在学生眼里的还不错，就是说长得还不错。同学们都好奇地讨论，那么，这个男人到底是哪里出了问题？

现在，阿毛已经不打球了。他将要修理的摩托车推着走，送到隔壁的修车铺，这是他经常光顾的铺子，因为他这辆摩托车已经开了好几年了，总有各种小毛病需要修理。他把车子留在修车铺，小跑着来到那家小餐馆。

前段时间他总是光顾这家小餐馆，里面的两个打工妹都跟他混得挺熟。他相信有的味道确实会从这个世界上消失，不是说人的味觉，而是某一种食物的味道。比如说自从离婚之后，他就再也没吃过前妻做出的烤小黄鱼，那道菜是他妻子独创的，微弱的椒盐味里掺杂着水果的清香，他每次都光顾着吃，从来不关心菜的制作过程，他以为自己能吃着这道菜直到五十岁，没想到只吃到了三十二岁，三十三岁来临的前两周那个女人彻底从他的生活里消失了，而且没有留下任何一点关于这道菜的制作方法的暗示。有一回他骑着摩托车从这家小餐馆前经过，随便点了两个浓油赤酱的菜，他试着用味觉唤醒自己对生活的渴望，没想到这家小餐馆真的做到了，并不是说阿毛没吃过什么好吃的，在他事业顺风顺水的时候，他积攒出长长的假期，带着他当时的妻子云游四海，旅途中寻觅美食。而后来的短短几个月里，他失去了曾拥有的一大半，可以说是拱手让人，但从头开始就是他一个人在做，所以结束的时候也是他自己给自己收的场。虽然后来吃了别的女人做的菜，但他觉得这些菜的味道都像是在模仿前妻做的，后来他生活里的女人越来越少，他开始自己给自己做菜。

现在就算他开始学着脚踏实地，不再以自我为中心，不再随心情办事，但依旧没能逃脱这个城市带给他的惊喜。从修车铺出来，他小跑着进了小餐馆，那里却空无一人，可是十分钟之前他明明和许老师约好了，在这儿碰头的啊。

"给你的。"服务员递过来一团纸巾。

"什么意思？你觉得我要哭了？"

服务员没说话，一把将餐巾纸团放在他手中，他打开发现里面有十五块钱。

"你现在还需要餐巾纸吗？"服务员幸灾乐祸地问道。

他愤愤地走出餐馆，没走几步又转头回来，"还是给我抽两张吧。"

"老太太没走多久，追得上。"

"我车还搁那儿修呢。"

等到这辆旧摩托修理完毕，他骑着车晃晃悠悠地沿着高架桥下面的马路，遇到红灯他就停在第一辆汽车之前，一旦跳回绿灯他就火箭一般向前冲过去，风吹着他的头发，他幻想自己正行驶在广阔无垠的海面，鱼竿架在一边，夕阳和他的距离越来越近，下个月的这个时候他就能到达一片新大陆。

在他前方十辆车的距离，正行驶着一辆绿色出租车，刚刚阿毛才看着它从高架桥上开下来，他确定里面坐着的人就是许老师。他萌生出一种追上那辆车的冲动，他对自己假设，只要他追上那辆车，他下个月就能成功摆脱酒瘾。他加快了车速，超了一辆又一辆的车，身后立刻响起了此起彼伏的鸣笛声，他甚至听到一些谩骂声，但这个时候的他根本不在乎别人怎么看待自己。那辆出租车在路口左转了，他赶紧也跟着向左转，转弯灯已经变红，因此他差点撞上右边直行的车，摩托也几乎是躺着在开，转过这个弯道，他离那辆绿色出租车越来越近，他屏息凝神，对自己说，就要追上它了。刚刚开过的那段路的几分钟里，他确定一直有一股力量在推着自己的车前进，或者将他牵引至别处，阴晴不定，需要他的高度集中。但是不管怎样，那几分钟是他今天度过的最开心的时刻。

在他身后响起警笛声的同时，那辆绿色的出租车也停了下来，他开到那辆车的前方，车里的司机着实吓了一跳，他们已经到了一个公园的门口。

警察从车里跑出来，一个穿衬衫的女人从出租车里出来，阿毛跨下摩托车。

"搞什么啊？"警察跑向阿毛。

"搞什么啊？"阿毛对绿色出租车里出来的女人说。

"搞什么啊？"许阿姨发现自己的衬衫被车门钩住了。

"许老师，刚刚你为什么自己先走了？你从来都不相信我！就因为我成绩不好？这么多年过去了，你还是不相信我是不是？"

"我赶时间呢，你怎么来了？"

"你就没有信任过我，哪怕一次！"

"你知道你刚刚的行为会造成什么后果吗？"

"警察同志，他怎么了？"

阿毛看看警察，又看看许阿姨。

"这是你儿子？"

"我不认识他。"

"许老师，你怎么这样啊！"

"少说废话，你把驾照先给我。"

"警察同志，不，警察叔叔……"

"驾照！"

"有话好好说！"许阿姨被夹在他们两个中间动弹不得。

"阿姨，他麻烦大了，我再问你一遍，你认识他吗？"警察问许阿姨。

许阿姨一听，"他？不认识，我不认识，他是谁啊？"

"好极了！"阿毛叫道。

三个小时之后，阿毛和许老师从派出所出来，阿毛抱歉地对她说："许老师，等会儿，我现在有点晕，你刚刚到底干了啥？他们就把我给放出来了？"

"别愁眉苦脸的，小事儿一桩，你知道当了那么多年老师的好处是什么吗？就是每每和别人争论的时候，就算你没道理，你也能扯出一大堆道理来，而且说得跟真的一样。"

"这是艺术。"

"至少你的驾照保住了，反正我儿媳妇今晚加班，来不了了，所以我闲着也是闲着。"

"真的太抱歉了，我惹出了麻烦。"

"都和你说了，没事儿！"

"不，我是说与熊比赛红领巾拔河的事……"

"我就知道是你！阿庆胆子那么小，那种孩子只会坐在车头偷笑。"许阿姨又重复了一遍，"我就知道是你！"

"然后……我得再抱歉一次，不仅三十年前，就连三十年后，我还在给你惹麻烦，你不信任我是对的，不用信任我！需要我送你回家吗？"他掏出手机看了看时间，"不收钱的。"

"我家离这儿很近，走回去就可以了。我喜欢用走路来放松。"

他们看着彼此，时光倒退到三十年前，他们绝不会用这种温和的目光注视着对方的，当时他们甚至都不愿意和对方多说一句话。告别之前，他们深深地拥抱在一起，派出所门口的灯光冷冷地照着他们俩，像舞台上的聚光灯打在准备对着观众背一大段抒情独白的演员身上那样。

许老师一边拥抱着，一边说："要不这样。偶尔有一次，我听我儿子说过，这旁边有一家小吃店挺不错的，既然大家都没吃晚饭，要不一块儿去吧。"

许阿姨拿了那份小的酒单，阿毛拿着菜单。

"我从来没喝过鸡尾酒，也不知道这东西长什么样子，你想和我一起尝尝吗？"许阿姨说。

"也许你早就喝过，只是你不知道那就是鸡尾酒。"

工作日的晚上，那里生意平平，正好留出空间好让他们讲话，他们说了许许多多的话，都把对方当成了一吐为快的垃圾桶。

"我也需要跟你道一个歉，当年让你留级是我的意思，你确实是个难搞的孩子，我明白我现在说这个并不能弥补什么。要不这样，你有那个女孩儿的电话吗？或许我能回学校帮你查一下。"

"不用，"阿毛说，"发生在 407 的事情，就让它留在 407 吧。"

"你应该去当个作家。"许老师抿了一口曼哈顿，又把它推到一边，"这味道太受不了了。"

"啥？你说啥？"

"我说，鸡尾酒太难喝了，我得再叫一杯可乐。"

"不不不，这句之前那句，你说了啥？"

"哪句？哦！我说你应该当个作家。"

"为什么？"

"你有成为作家的条件啊！"

"真的吗？什么条件？"

许阿姨转转眼珠子想了想，"你离过婚呀！"

"可是现在全世界的人都在离婚啊，没什么稀奇的。"

没想到刚说完这句话，他却看到许阿姨眼中噙着泪水了。"我说错什么了吗？"

"不，这不关你的事。"这时服务员将可乐端了上来，许阿姨把吸管从杯子里拿出来，拿起杯子猛喝了一大口，"我现在担心儿子和儿媳妇也会离婚。"

"为什么？他们成天吵架？这个不用担心，如果一直吵架，那他们就不会离婚，我和前妻就是这样，我们吵了整整六年，第七年的时候，突然停止吵架了，变成谁都不说话了，所以我们第七年才离的婚。"

"我儿子儿媳妇现在挺好的，不，他们太好了，前段时间他们搬去了新房子，我儿子也换了新车。"

"那你在担心什么？"

"他们没有孩子。"

"啊？"

"他们没有孩子！其实两年前，都说好了的，等孩子出生，我可以帮忙带孩子啊，他们过他们的，根本不用操心。直到有一天，我儿媳妇去医院看望一个刚生完孩子的朋友，回来之后她就决定不生孩子了。你猜她跟我说什么，她说她站在病床前，看着她朋友肚子上的刀疤，幻想着那条刀疤长在她自己肚子上，这样她就再也不能穿比基尼了。还说看着她朋友的丈夫，一心顾着孩子，完全不关心躺在床上那个刚生了个孩子的女人，她就觉得所有丈夫都会变得这样麻木。她抱起那个新生儿，那孩子立刻扯着嗓门尖叫起来，她说当时她只想把那孩子扔得远远的。"

阿毛想到自己被许老师骂得最惨的一次，那场战争总计损耗了一块窗玻璃。那是在高二的一个夏天，放假前夕，午休的时候阿毛趴在桌上睡觉，他的两只脚趴得很开，伸到了走廊上，两只手环着桌子，脸贴在桌面上，整个人呈现一个折叠九十度的"大"字形。他听见有人叫他的名字，不管是谁他都不想搭理，他想着，"我就假装睡觉吧，上午的课都听得太认真了，不休息一下撑不到下午的。"那个声音越来越响，"阿毛，我就知道你又在睡觉！你看看你昨天回去做的作业，这里……"

没等这句话说完，趴在桌上的阿毛感觉地板微微震动了一下，他抬起头眯缝着眼睛东张西望，抖了抖胳膊腿，并没觉得有什么异样，但教室里的同学都朝自己这边看过来。

"看我干吗啊？"

"谁看你啊，你看看你旁边。"同学往地上一指。

阿毛低头一看，许老师已经趴在地上了，他顿时吓傻了，当时许老师正怀着孕，在怀这次孕之前，她流产过一次，那时候她请了两周的假。阿毛立马俯下身去把许老师扶起来，许老师微微侧过头，一看是阿毛，甩开他的手，自己扶着课桌站了起来，捂着肚子一步一步地朝办公室走去。

阿毛一小步一小步地跟在她后面，生怕她又摔着了，边走边嘟囔，"我的腿不该长那么长，但是许老师你走路也太不小心了吧……"

许老师听到这个，立马停下脚步，扭头瞪着他，等走到办公室门口，许老师推开门，又很重地关上，在门关上的瞬间，门上那扇小窗的玻璃碎掉了。这一次许老师没有流产，几个月之后她就生了一个儿子，现在她开始催促这个儿子也去生一个儿子，就像一串俄罗斯套娃一样。

"其实吧……"阿毛喝了一口自己杯里的饮料。

"我还没说完！她还说，她庆幸自己没生孩子，她甚至想为自己没生孩子开个派对，名字就叫'没孩子'，我心脏病都要被她气出来了！我真是一点办法都没有。我看我儿子和她迟早是要离婚的。"

"许老师，你想听听我的意见吗？"

"你说吧。"

"你应该多想想，自己的日子该怎么过。"

"你这算什么话？"

"不是，你看啊，你现在五十多岁对吧。"

"六十多了。"许阿姨纠正他。

"好，六十多，算你能活到一百八十岁，那还有一百二十年要熬，你不能总是在催儿媳妇生孩子这件事上度过之后的一百二十年吧？"

"我这不是催，我是在提醒他们，什么年纪就该做什么事儿。"

"没人能规定谁在什么年龄做什么事，一切让你感到不舒适的规定，都是上帝下的圈套。"

"我不信上帝，我信一点儿佛教。"

"对啊，你不信上帝，那就别跳进他的圈套嘛。"

"那你说我该怎么办？"

"嗯……我想想，你喜欢吃什么？"阿毛问她。

"啊？"

"你喜欢吃什么？"

"海鲜。"

"好！"阿毛一拍桌子，"那就海鲜饭，你现在要做的一件事儿就是订一张去西班牙的机票，到那儿先吃一份海鲜饭再说。"

"不早了，我得回去了！"许阿姨从座位上站起来，拍了拍阿毛的肩膀，拎起包准备回家。

后来他们又失去了联系，除了在下一年的教师节里，阿毛叫上几个老同学和许阿姨一起吃饭，那天她高兴得不得了，虽然这几个来的同学里，她一个名字都叫不出来。

阿毛又找到了新工作，加上原先积攒的人脉，日子阔绰了不少，换了一辆更漂亮的新摩托车，他的身边重新有了女人，业余时间他会窝在家里写点东西，然后拿去投稿，每一回都毫无悬念地收到退稿信。一个下午，他又提着自己的小说跑出来，想面对面地和编辑好好聊一聊，那个人远远地从大楼里走出来，隔着铁门客气地对他说："别再来了，你要是再敢来，我就开枪了。"

　　或许是他记错了，那人说的好像是："后面的车是你的吗？这东西能玩漂移吗？"

　　回忆总是让人捉摸不透，但这倒不是他为之困扰的，让他自己最为惊讶的是，他正在考虑把这辆新摩托卖了，换一辆实用的家用车，带宽敞的后备厢的那种。而且他明白一旦卖掉这辆摩托，他就不会再把它买回来了。

亲　密

这几天我有些惊慌失措，帽子和墨镜都无法给我足够的安全感，我最好立刻变成隐形人。自从我被那个男人盯上之后我就变成这种惶惶不可终日的样子，其实平时的我不是这样的。

别人眼中，我想我大概就是那种西装革履、健谈、开着好车、干练又生机勃勃的人。没人想得到我的童年曾在哪条拥挤的弄堂里度过，也想不到我曾在唐人街的餐馆里一边洗盘子一边背单词。

一般经历这种苦难的人很难把目光从俗套里彻底抽出来，但这并不能说明我是绝望无趣被生活所累的人，事实上我生活得很好，看上去也不是毫无品味，不然这个每年要度假两次的女人也不会嫁给我。要是说我和那些同样出身中产、一辈子碌碌无为的男人到底有什么不同，那只能说，我更幸运一点，而且我正在为我的幸运支付某种东西，虽然我说不上来，但不是金钱，这种东西正一点点从我体内堆积，某种非常奇特的物质，越来越多，我想方设法去避免它，是的，我的代价就是这个。

　　我一直记得那个夜晚，我相信这一晚和之后发生的事情会有所牵连，如同某一个乐章的开始。那天晚上我正在居酒屋，我陪着那些秃顶的客户们盘腿坐在小包间里，足足有五个小时，直到深夜。我老婆打了三个电话催我回家，等她的第四个电话到来前，我就关机了。

　　午夜的路上总会和几个同样的夜归人相遇，那些迎面而来的身影就像科幻电影里的食死徒。横穿一条大马路，随后我拐进一条安静的街道，这条小路是我回家的捷径，两边屹立的全是老式的住宅。

　　现在是午夜，又走到这里，我边走边听到来自身后的脚步声，它跟着我的节奏而更替，我小跑起来，很可能有人暗中派了杀手，我知道自从公司上市之后越来越多的大订单令人嫉妒，当然不乏其中几单是从别人手中夺来的，一想到这个世界上每天都在生产那些警察们无法侦破的案件时，我就索性快跑起来。我穿过幽暗的小径，每一个角落里好像都会忽然窜出一个黑影，用它无与伦比的力气将我卷入它的黑暗中，一点点将我生吞，是的，生吞，然后我就看着自己一点点地死去，在这个缓慢的死亡过程里我回顾我的一生，我的童年、我的少年时期、我的大学、我的工作、我的妻子、我的情人们、我的……总而言之我喘着粗气跑出了小径，大马路上有街灯，照着我的影子，我解开衬衫的第一颗纽扣，贴着马路走，我看着自己的影子拉长、缩小、消失在我的脚底、又拉长……循环往复，然后我就到家了。

第二天九点，我坐在公司最大的会议室里，几个年轻人轮流发言，他们斗志满满，猴子似的活跃在会议室里，"操"，我一边听他们的演说一边心里默念。门忽然开了，前台小姐走到我身边耳语，"有人在门口等你。"

我走出会议室，朝着她指的方向望过去，如果不注意，根本不会发现这里还坐着一个人，他身材发福，一脸憔悴，一看便是那种为生活所苦的人，可怜又让人不想去亲近，加上他身上那件皱巴巴的夹克衫恰巧和门口沙发同色，融为一体，加重了他的可有可无。那人见我来了，立刻起身。

"你谁啊？"

"你不记得我啦？你再看看！"

"对不起，不记得！我在开会，如果……"

这似乎不是男人希望得到的答案，他凑近我，好像要亲吻我似的，忽然又离远了。

"呵！"男人整了整衣领，"我就知道。"

"操！"这回我是用嘴说出这个词的。

"是我，好久不见。"

"我操。"

三个半小时后我又在楼下的咖啡馆里碰到他。我没有解释的欲望，我拉开他对面的凳子用力地坐下，"你想干什么？"

"没什么事，就想来找你。"

我平静地看着他，他脱去夹克衫，里面穿着皱巴巴的衬衫，颜色大概也已经在洗衣机的多次蹂躏下被染上说不清的淡蓝色。

他自顾自地说起来，"你怎么样现在？"

"什么？"

"我问你现在怎么样？"

"你看到了，"我舒展了一下肩膀，"这就是我现在的样子。"

"不，我是说，你现在和什么人在一起？"

"不关你的事。"

"行，我先说，我现在在做保险。"

"这就是你为什么来找我的原因？"

我说的话他似乎都听不见，继续说着他自己的事，就是那种以自我为中心自顾自地唠叨个不停的人，但往另一方面想，或许他根本没有朋友，找不到可以倾诉的人，又没钱拖着一个心理医生听他的废话，今天他终于逮到一个愿意坐在他对面听他讲话的人，他得好好利用这个机会。他讲他去澳门，又去香港，干了不同的工作，开了一家又一家的咖啡馆酒吧，后来又一家家地倒闭，就这么反复了几年，这期间他儿子出生了，他就回大陆来了。

我多次想要结束话题起身离开，但他热情洋溢全然顾及不到我。谈话间他居然企图营造那种比我高尚的氛围，这让我恼火。为了彰显这些年我的蜕变以及大度，我任由其滔滔不绝。

他终于讲得疲乏，我站起来，准备扬长而去，迈出步子时我却感受到小腿肚的颤抖，上一次有这种感觉还是在小学，我的语文老师忽然温和地摸了一下我的头，我的整个世界立刻都随着这一次抚摸摇晃了，那幅画面腾地跃然于我心中，他穿着白背心，坐在车上，"再会"，他的声音从车里传出来，也许他还没说完，然后一个女人的手越过他的身体，摇上车窗。

"我说完了，轮到你了。"

"等下和服务员说，你的这杯饮料记在我的账上，再见。"

我起身离开，走到停车场，直接开车回家接妻子，今晚我们受邀去朋友家做客，接到她后，我们伴着拥挤的下班高峰开上了高架。

几年前我同第一个妻子离婚，打了一场持久的官司，赢回了大部分的钱，包括那套市中心的房子，一年后和这个女人结婚。

我现任妻子，这个和我平起平坐的女人，现在坐在副驾驶上抱怨着糟糕的空气和同事们，她也自顾自地讲了很久，我没仔细听，只是"嗯……嗯……"地附和她一下就行了。

酒足饭饱，我们和朋友们告别，回到家里，妻子睡了，我就跑去厨房用牛奶兑了点威士忌和冰块一口气喝了下去，微微拉开窗帘，凑近窗玻璃，那个男人的身影又出现在楼下。

我杯子一摔，冲向楼下，压低嗓子让他滚蛋。他从口袋里掏出一张纸条递给我，"这个你拿一下。"说完就跑开了，没跑两步，掉了个头回来，"上面有我的电话、地址，嗯……是暂时的，但我最近都住那儿。"

我借着月光，看见照片上印着他的字。

他用手抓着我的肩膀，我们的脸凑得很近，能清晰地看到他脸上的橘皮泛着一层油光，不可否认我当时心底确实流过一阵什么东西，但他那张从未精心呵护的脸庞让我不由自主地后退两步。我刚刚洗完脸，抹了一些精华，不想再洗一遍。

我们一起在我家楼下待了一小会儿，然后他离开了，我把纸条塞进裤兜里，然后上楼又倒了一杯冰牛奶，窗帘依然是微微拉开的，我妻子穿着睡衣站在身后。

"夜里最好别喝冷牛奶。"

"只加了一点冰块，你最好快点睡觉去，明天我们都要上班。"

"是他吗？"

"谁？"

"是吗？"

"我听不懂你说什么。"

"你刚刚下楼了，然后和一个男人站在报箱旁边说话。"

"你看见了？"我捏着杯子的手停在胸前，"废话……你当然看见了……"

"他是谁？"

"过去的一个朋友。"

"哈！"我妻子双手叉着腰大声说，"我就知道！是真的！"

"你干什么？轻点儿！"

"你还怕人听见？下楼的时候你怎么不怕人看到啊？他是不是跟你说，好久不见。你说，是啊，好久不见。"

"不！我们没有！我意思是说，我没有！"

"然后他走近你，越来越近，你们四目相对，他张开双臂拥抱你，你一开始想要挣脱……"

"闭嘴！别说了！"

"但你无法挣脱，你根本就不想挣脱，你也抱着他，你主动吻了他，我终于知道你为什么总吃那些药，工作压力大？加班？跳槽？哈！这都是谎言，早晚有一天，你那东西会萎缩的！萎缩成芝麻粒大小！你知道你现在有多恶心吗？"

我上前一步，"很多事情你并不知道！"

"别，别靠近我！"她走进卧室，我听见门锁锁上的声音。

"至少把我的枕头给我吧？"我对着卧室的门喊话，但无人应声。

第二天的上班时间，我戴上帽子和墨镜走进大楼，一进门就看到那男人坐在长椅上，他看上去精神很好，跟在我后面一起等电梯，他显得有些高兴。

电梯门开了，待里面的人走出来，他和我一同走进电梯，在电梯门关之前，我一把将他推了出去，从快要合上的门缝里我们四目相对，我把目光移开，门也合上了。我转过身，盯着电梯里镜子中的自己，从头到尾，我的头发每月要护理两次，我穿着巴黎买来的衬衫鞋子，我的公文包里装着几百万的单子，我的指关节上套着修改了三次的婚戒。即便如此，我想我还是有点不敢看他的眼睛，如果我让那件突然冒出的往事掺和进我的新生活，那过不了多久我就会被打回原形，我盯着镜子里的自己默念："优雅。"

晚上我和妻子依然需要出门社交，我们都闭口不谈昨晚的事情，今天和我们吃饭的是我过去的一个同事，去年他跳槽了，但我们断断续续地联系着。

这人在饭桌上把话题引到他跳槽后遇到的趣事，看着他越讲越带劲儿唾沫横飞的样子，我知道我所要说的一定会让他无聊透顶。这顿晚餐在客气的寒暄中结束了，我们开着车回家，打开车窗，我点了支烟，妻子看出我的失落，也没有安慰我，她知道什么时候的我才需要被安慰。

"你觉得我是不是应该考虑一下上次那个猎头公司给我的建议？"我忍不住问她。

"我不反对，你自己掂量着吧。"

"哦，昨天的事情我还想和你说一说，是这样的……"

她调整了安全带，坐正身子，"一切都会好的，你现在不需要着急。"

"你真这么觉得？"

"你之前喝了点酒，专心开车。"

我终于明白为什么我会义无反顾地离开前妻，换做是那个柔弱的前妻，说的一定是，"一切都会好起来的"，但这个女人不会，她首先会营造一种你完全可以放心信任她的氛围，然后告诉你，"不要急。"

从高架桥上下来之后，交通不再拥堵，一个大转弯后我们的车便开离高架越来越远。中间要经过三个红绿灯，我在一个绿灯刚开始闪烁的时候就停下了车，引得后面传来一连串的喇叭声。这时候就在我的车前，这个穿着灰色夹克衫的男人又出现了，从人行道上走过去，低着头，好像犯了错误似的。

收音机里的音乐好像一下子都消失了，我屏住呼吸，身体僵硬，好不让妻子发现我有什么异常。直到后面那些焦急的司机使劲儿摁下喇叭才把我拉回现实，我看了眼那男人，他已经走到马路对面，走得很自如，如果他看到我了，并且是故意的，那他装得太自然了。

回家后，我和妻子没有交流，本以为我们会坐下来好好说话，但她早早就睡觉了，我坐在客厅，开着电视，试图按着那张纸条后面的号码给他一个电话，打了三次，都被我摁了，我没必要亲手毁掉目前的生活。

第二天为了避开早高峰，我提早了一个小时出门，咖啡居然已经煮好了，一定是我妻子昨晚定了时，我为自己倒上满满的一杯，但只喝掉一半，随后我径直去了他留给我的地址。他住在那种没有电梯的老房子里，楼道里弥漫着每家每户味道的混合气体。我敲了门，没人应，旁边那扇门倒开了，一个老太穿着花格子睡衣站在那里看着我这个不速之客。

"你应该早点儿来。"

"你认识住在这儿的人？"

"他早上刚走，一个女人来接他的。"

我小跑下了楼，坐上车，朝我的公司驶去。路上我打了一通电话给我妻子，无人接听，我冲着电话里嘟嘟的盲音怒吼："臭婊子，我知道是你干的！你想要什么？你知道我爱你，我爱过你，但我也爱他，你把他藏哪儿了？你个臭婊子，臭婊子！"

回到公司，我装模作样地听了一个小时的会议，然后坐电梯下楼，一手提着咖啡，一手托着腮，坐在大厅旁边的长凳上，像个被开除的中年人。就这一个早上，他拖着行李箱离开的情景，在我脑海中上演了八遍，我看着眼前这些来去匆匆的上班族，他们无力的步伐，他们焦躁地按着电梯按钮，拥着挤入电梯，男人完全忘记绅士，女人也不再优雅，就像一群误上了海滩的鲸鱼。

也许他的生活遇到了瓶颈，迫不得已才想到来找我，他只想来问我借钱，不，他不会向我借钱的。

咖啡快要喝完了，我摸了摸口袋，手机不在身边，我抬起头看向大厅墙上挂着的那面时钟，我已足足坐了半个钟头，我一仰头把剩余的咖啡全都灌进嘴里，当我低下头，我又差点被呛住。

那个男人就坐在我对面的长凳上，姿势就和我的一样，托着腮，盯着我看。我仓皇地站起来，三步并作两步小跑着朝电梯奔去，然后挤进那个沙丁鱼罐头，电梯上升到二十六楼，我才发现我连手中的一次性咖啡杯都还没来得及扔。

不要说话

八点过两分，我女朋友准时从卧室里出来。

她总是喜欢光着脚走在我的公寓里，这样的话她走起路来就和猫一样，一丝声响都听不见，一年前她刚搬进来和我一起住的时候我就告诉她我从不拖地，后来她就为这个公寓找了一个勤劳的保姆。我听着她开门、上厕所、打开水笼头、洗漱的声音，然后她带着一丝保湿霜的清香走进我所在的厨房，从后面环住我，用自己的左脸贴着我的右脸，有时候只是环住我。三秒钟之后她就去准备我们的早餐了。

"你几点起来的？"她一边打开纸盒牛奶闻了闻牛奶是否馊了一边问我。

"我新写了一篇，听听你的意见？"

"你直接告诉我故事说了什么吧。"

"还是看文字更明确，很多故事和文字之间的距离相差很大的。"

"那你放着，我等下看。"

"算了，还是我说给你听吧。"我开始复述我的故事。

那是萧瑟的傍晚，行人低着头缩着脖子赶路。除了地铁里的暖气徐徐从地道里渗出，温暖的地方只剩下街边的黑暗料理。

在这个空气浑浊的空间里，屁股着了小板凳，车子从身边呼啸而过，能产生一种与世隔绝的疏离感，还带点日新月异。

店主老太太在路边支了一锅的炒饭，一个转身，再一抹鼻涕，露出黑黝黝的手指，剥开肉肠包装纸，袖口里飞出一把剪刀，把肉肠喇喇剪得整齐划一，再一股脑地甩到锅里去。

就在侯杰坐这儿吃饭的前一小时，身无分文的他还在地铁二号线里晃悠，来来回回坐了半天，从百无聊赖的午后坐到人潮汹涌的黄昏，他从一个满脸发痘的男青年的裤子后袋里顺手牵羊了二十块钱以及一张交通卡，到手后地铁正好到站，他随着人流挤出地铁站，刷了男青年的交通卡，小方格电子屏上显示余额十六元。

今天这点微薄收入让他感到受挫，他又萌生了回老家的念头，但一想到老家的漫天尘土飞扬，他觉得还是这里好一些。他讨厌这种想法，每当这种想法窜进脑海，他的胃就难受。

在他的记忆中，以前故乡的那些朋友里面，有人念了大学，变得斤斤计较；有人读完职校立马跑去工作赚钱，成为一个早衰的工人；还有的女同学嫁了人又生了孩子，变成一个积极向上的小老太。反正到了最后，所有人好像都走上了正轨，远方的大城市也像一个初升的太阳似的莹莹发亮，吸引着年轻的人们，包括他离开故乡之前的最后一个女朋友，那女的瘦得跟根柴火似的，但侯杰就是喜欢。

她在离开前两天的下午，约侯杰在车站见面。瘦子女朋友说："后天我就走了，你保重吧。"

侯杰问她去哪儿。

"离开这里，上大城市去。"女孩顺着杂草丛生的小路指向遥远的天际线。

"你干吗高攀到那儿啊？"

"我就不能高攀一次啊？"

"那我咋办呢？我俩咋办？"

女朋友没说话，他立刻知道她是专门来和他道别的。"行，祝你好运。"侯杰迎着风冲着夕阳大摇大摆地回家去了。

后来他看看家乡确实也没什么起色，坐上火车，也来到了那个很瘦的女朋友来的城市，他没有什么准备，也没定下目标，所以除了在街边混迹和打零工时认识的几个天南海北的狐朋狗友之外，也没什么收获。

接着学会偷钱，他的技术很高超，他以为这是天生的。现在他赚钱靠的全是运气了，有的时候五十，有的时候一百，运气好还有几张装着千百来块的消费卡。可是今天一个下午他的效率几乎是零，他把二十块和那张只剩十六块钱的交通卡放进大衣内侧的口袋里，晃晃悠悠地沿着商业街走。

过马路的时候，走在他前面的一个小孩摔倒了，他立马扶起了小孩，小孩的奶奶一个劲地谢他说："小伙子真优秀，像个党员。"

他走到一个十字路口，看到了这家黑暗料理，就坐了下来，然后就遇到了一个女孩。她踩着高跟鞋，手里提着包和两个纸袋，上面印着商场的标识，一个刚刚购物完的女人，他可以想象这个女人热气腾腾买东西的样子。

走过侯杰身边的时候，从她包里掉出一个钱包，侯杰叫住她，她低头一看，说了句"谢谢"拿起钱包就走了。侯杰坐回凳子上，看着她离开的身影，一个小黑影掉在地上。

侯杰赶紧跑过去捡起钱包，从里面掏出十二块钱付给老太，起身走了。

这钱包是正方形的，粉红色。侯杰坐在广场中央的长凳上，细细解剖它，里面有很多卡、很少的现金，包括一张身份证，上面印着女人的脸和名字，她的名字叫陈凌。

　　夜里的风很大，他把钱包往裤子后袋里一塞，但他自己总偷别人的后袋，所以不放心把钱包放那儿，于是放进了大衣内侧的兜里。拿了这个钱包之后，侯杰看着眼前华灯初上之后更加霓虹闪烁的街道，心情忽然轻松不少，踏着轻松的步子穿梭于街道。

　　走了没一会儿，吃饭时攒下的热气都被风吹走，他顶着寒风走到附近一家商场里，哆哆嗦嗦地舒缓了一下筋骨，商场的暖气热浪般扑过来，他闭上眼睛深深吸了一口气，把空气里弥漫着的蔬菜水果包装袋的味道渗透进肺里，一下子有了烟火气。柜台那儿围了一圈人，他也挤进去凑热闹，看看能不能再干上一票。他往人堆里一扎，看到正当中站了一女的，使劲翻着手提包，后面俩大叔扯着嗓子喊，你找到钱再付！让我们后面的先上来啊！

　　侯杰定神一看，那人就是刚才在黑暗料理旁边碰到的女人，一想到她的钱包还在自己兜里，他想撒腿就跑，又觉得过意不去，这是他头一回偷了钱之后感觉到内疚，因为这是他第一次看到他偷了人钱之后给人带来的麻烦。

　　陈凌一抬头，看到侯杰，"嗨！你是不是那个提醒我掉钱包的人？"她冲侯杰招手，侯杰移开自己的目光假装没看到，但陈凌不依不饶地站在收银台前叫唤他，所有人的目光都朝着侯杰这边看去，侯杰没办法了，只好硬着头皮上。

　　"你怎么在这儿啊？快借我点钱，钱包又不见了。"陈凌又转过身再对排在后面的俩大叔说，"你俩别急啊！"

"多少钱？"

"八十四。"

侯杰伸手到自己上衣内袋，摸索着陈凌的钱包，掏出一张纸币，一看是一百块。

"你今儿算帮我忙，马上还你钱！"

陈凌接过服务员递过来的塑料袋，示意侯杰跟她一起走出商场，一路穿过挂着促销打折招牌的衣服鞋子的店门前，这些大大小小的店面像两排士兵夹道欢迎出国访问归来的国王皇后似的，一走出商场，夹道欢迎的士兵们都不见了，冷风一吹，热情都被吹散了。

"我家就在附近。"陈凌看看表。

"你今天也够倒霉的，我就不来添乱了，再见！"

"回来回来！像你这种借人钱还不要人还的，真是该加入党组织，他们就缺你这样的。"

"今天什么日子啊？我前面路上碰到一老太太也这么说我，是不是党派你们来的？"

"反正我不是被派来的。那老太太我就不知道了。"

"算了，我思想觉悟太低，不适合入。"

陈凌领着侯杰上了她家，十一楼，楼道里空荡荡的。

"现在小姑娘胆儿真大，一个人住还敢带陌生人往家里跑。"

"我还有一室友呢。你也不算陌生人了！"

进了房间，他环顾一圈，一套简单的两房一厅，一桌两凳一沙发，装修是花了心思的，墙上挂了两张简笔画，一张画了一听啤酒，另一张画了一个模糊的女人影。

"我觉得这个挺像我的。"陈凌指着画说，随后她脱去外套，转了一圈。

"嗯，还行。"侯杰摸着下巴，他发现其实陈凌脱去外套后更瘦了。

陈凌脱下毛衣后的干瘪身形让他忽然想到他的瘦子女朋友，自打侯杰来到这里，他从未停止过寻找瘦子女朋友，终于在一家餐厅找到过她的足迹，但店里的人说那个瘦女孩已经不在这儿做了，他顺藤摸瓜找到了女孩住的地方，躲在楼下想给她一个惊喜。

初冬的早晨，空气里还留着昨晚的刺骨寒冷，张嘴呼气就会有一股股水汽从嘴里出来。他来到一栋破败的老式住宅楼下面，看到瘦子女朋友穿着粉红色大衣下了楼，他刚准备迎上前打招呼，瘦子女朋友身后跟着一个面带倦容的大叔，大叔身后又跟着另一个姑娘，大叔走到一辆破旧的汽车旁边，从副驾驶旁边抽出一个信封，递给两个姑娘，头也不回地开车走了。侯杰看到这俩姑娘站在早晨清冷的阳光下，把钱一分为二，没有交流。

　　他鼓起勇气去敲门，开门的正是瘦子女朋友。瘦子女朋友说：
"我刚刚就看到你了。"

　　"你看到我了？"

　　"你看。"瘦子女朋友拉开窗帘，透过窗子指着刚刚侯杰站立
的角落。这里看得一清二楚。

　　突然旁边响起了开门声，他们同时看去，和瘦子女友一起的
那个姑娘出门了。

　　"你现在就干这个？"

　　"对。"

　　"你电话里不是跟我说你在理发店……"

　　没等侯杰说完瘦子女朋友就插嘴说："我骗你的，我没去理发
店，我就做了几个月的超市营业员，但现在的这个钱比过去多多
了，你看。"瘦子女朋友从兜里掏出刚才大叔给的信封。

　　侯杰没往信封那儿看，他问："我寄给你的钱呢？"

　　"别寄了，我又不缺你这点儿，以后还不知道怎么还你。"

　　"不用还。"

　　"真不用还？"

　　"真的。"

　　瘦子女朋友说昨儿工作一天，今天她一天没事，随后他们一
起在附近广场的地下室里吃了个饭，吃完后沿着人行道一直走到

两条马路之外的公园，公园深处没有人，但他们也只是并肩走过，边走边聊，天黑之前侯杰送她回到了家里。

"我可以陪你睡一觉，这样我觉得自己就不欠你了……"瘦子女朋友说。

侯杰离开了那房间，并且他感觉很长一段时间都不想来这片区域了。后来他仔细想了一下，当然这也算是自我安慰，他以为瘦子女朋友这么讲，是为了让他乖乖离开。

"对了，你是干吗的呀？"陈凌问他，侯杰从回忆里猛地被拉回来。

"我？我……"侯杰的大脑在飞速运转着自己能干什么，他的思绪从小学在家乡弹皮弓想到高中教女朋友骑自行车，又想到几个月前在一家小餐馆打工端盘子。他清了清嗓子说："我是一个歌手。"

"啊？"

"我是一个歌手。"他重复了一遍。

"流浪的那种？"

"对！"

"会弹吉他？"

"不会。"侯杰看到房间里躺了把吉他，所以这个不能瞎编，"但我一哥们儿会。"侯杰想到了前段时间在夜市边上认识的流浪歌手，那人长了张民工脸还偏说自己叫詹姆斯，毫无吉他天分，侯杰信心满满的样子继续说，"我们前些日子正准备组一支乐队，乐器都齐了，打鼓的有了，弹贝斯的也有了，还在找地儿。"他越吹越得意，他想象着詹姆斯那张民工脸，又想到自己提着麦克风挪着小步子唱沙哑的歌，差点忘记前些日子詹姆斯问他借了四百块之后消失得无影无踪的事情了。

"是吗？那你们以后要是真有演出了记得叫上我来看，我多拉几个朋友给你们捧场。"她讲话的样子也是很真挚。

然后陈凌不知从何处拿出一张碟片叫侯杰一起看，两人手捧热茶坐在沙发里。后来事情和他猜想的差不多，电影看到一半，他们忽然扭在一起，当陈凌压在侯杰身上的时候，他还能清晰地听到电视里女人发出的尖叫。陈凌的温度让整张床都是温热的，侯杰就像刚才电影里那个被抛进大海的男人，他迎接着一圈又一圈的海浪，只要风一停，他们都陷入了海底。

第二天，侯杰起先醒来，轻轻离开床，屋外空无一人，他小心翼翼地关上门，穿上外套。陈凌嘴巴微微张开地睡着，房间的窗帘没有拉，阳光洒在她的脸上，映出柔软的光辉。

门外传来敲门声，陈凌一下子从床上坐起来，把侯杰的衣服一件件地从地上捡起来塞进他怀里，拖着他走到另一间房间，那里有扇后门，通向消防通道。她匆忙地说了一句"再见"，就把门关上了。

在走廊里穿戴完毕，侯杰走出了小区，他抬头看看身后的楼，白天总算看清楚了，他从来没来过这儿，应该是酒店式公寓。

他摸摸左边口袋，钱包不在，又摸摸右边的，找到了，但他不记得自己拿出来过，他打开那只粉色钱包——他的劳动成果。

除了几张百元和零钱，什么都没有，里面还夹了一张字条，写道："感谢昨天的一切，银行卡和身份证我就先拿走了，剩余的你都拿去吧，看得出你需要。别来找我，保重。"

我的故事说完的时候，厨房里已经蔓延出一股浓浓的奶香。一个郁郁不得志的作者和他纤瘦的女友在厨房里度过了又一个早晨。

"她是谁？"女友把锅里的鸡蛋饼放进盘子里，但没有端上餐桌。

我合上电脑，抬起头。

"这是我虚构的人物，就像我之前所有故事里的主角们一样。"

"操，她是谁？"

我们沉默地看着彼此，我感觉她赤着脚站在这儿盯着我已经有一会儿了，哪怕是背对着我做早餐，她的后脑勺里也悄悄藏了一双眼睛。

一切都逃不出这双眼睛。

吴先生去买早餐了

吴先生有一个女朋友。

周六的早晨，吴先生还在睡梦中，被身边的女友推醒。

"干吗……"

"快去买早餐。"

"才几点啊……"他揉揉眼睛看看墙上的钟。

"我饿了。"

他从床上坐起来，伸了个懒腰，套上衣服就出门了。

他正在等咖啡的时候手机在口袋里震动，一看是女友打来的，他接起电话，"再等几分钟，我买好了，马上回家，别急，别急哦。"

他提着早餐和咖啡一路小跑回家，把手里的东西在桌上放稳。

女友说："今天忘记去遛狗了！"

他抱起狗，给狗拴上链子，和狗一起出门了，狗很识相地听从安排。他通常都去离家最近的公园遛它，从家到公园，途经一条狭窄的小道，每一个早晨，小道两边都挤着一排做早点的摊位。吴先生盯着那些边走路边吃东西的路人和坐在店里吃早餐的顾客，他的目光被他们手里的食物吸引，他还没吃早饭。遛完狗回来，女友已经吃完早餐坐到电脑前了，他给狗取下链子，一边看着女友的后脑勺一边吃自己的那份早餐，他无法想象眼前这个女人和王先生坐在一块的模样，他们的手握在一起，或者肩膀上搭着一只胳膊，他们俩的事情前两天就传到吴先生的耳朵里，但他还不能确认，他还是想等到确认了再说。

"你看，这个人，一脚把他女朋友从山顶踹下去了。"女友指着电脑屏幕笑着对他说。

"什么？新闻里说的？"

"一种极限运动，从悬崖上跳下去。"

"这么可怕！"

"身上拴着绳子的，有什么可怕的？"

"换作是我，我不会这么做的……那这女的肯定恨死这男的啦！"

"幸好这男的踹了她一脚，凭她自己肯定不敢跳下去。"

"我不会把你踹下悬崖的……"

"你这人真没劲啊，不懂我的意思！"女友后脑勺一动不动，但吴先生猜想她正在皱着眉头。

吴先生依然盯着她的后脑勺在看，他忽然放下早餐，站了起来，他把女友拉到门外，"你跟我走。"

"你想干吗？"

他让女友闭上眼睛，女友照办了。

"抱紧我。"他说。

"干吗？"

"你先抱紧我，我才能告诉你。"

"好吧，抱紧了。"女友说。

两人的身体紧紧贴在一起，这时谁都没有说话，又过了几秒钟，"可以睁眼了吗？"

"可——以——了——"

女友睁开眼睛，发现他们已经升到了半空中，脚下是他们的房子，房子边上的大树都缩得像玩具一样小，还能看到远处的马路。

"哇！"女友张开双臂，做飞翔状，"你怎么做到的？"

"我……就是拥有这种能力。"

"怎么不早告诉我？"

"因为怕吓到你啊。"

"那你现在又为什么要让我知道？"

"因为……我想让你多了解我一点……我不是一个无聊的男人！"

他们依然飘在空中，他搂着女友的腰，防止她掉下去。早上空中的风很大，他搂着女友，女友也搂着他，他们在空中缓缓地飞，降落在一栋高层的顶楼天台上。

"干吗停在这里？"

"其实，我今天把你带到这儿，是想和你说一件事。"

女友从他身上下来，站在天台的边缘，冲着下面望了望，"让我先猜一下你要和我说的事情……唔……不会有什么好事，一定是你把我的狗弄丢了！"

"不是，那东西在房里待得好着呢！"

"人家有名字的！叫妞妞，不叫那东西。"

"那……"女友皱皱眉头，"难道……你背着我和别人好了？但就你的性格，不会呀……"

"你这猜的都是什么乱七八糟的。好了好了，我告诉你，"他凝视着女友，"我是受人之托，要把你从这儿端下去，就像你刚刚看的那个视频里的一样。"

"别闹了，"女友停顿了一秒钟，"我下午还有事得出去，快说吧，到底什么事情？"

吴先生叹了口气，"是真的。"

"我不信。就凭你？"

"你愿意嫁给我吗？"

女友凝视着他说："如果我说不，你会把我端下去吗？"

"不会。"

"好吧！"

"好吧？是什么意思？"

"就是我同意了！"

吴先生惊讶极了，他以为女友会说"不"，他本来做了最坏的打算，但是现在他的梦想成真了。当然啦，就算女友不同意，他也不会把她端下去的，他太喜欢这个女人了，甚至带着些崇拜。

他抱起女友，迎着风回到他们的家，还没降落，停在半空的时候，女友忽然问他，"不对！戒指呢？"

"瞧我这记性！"他想起来他把戒指放在了上衣口袋，他伸出一只手去拿，但是他的另一只手没有托稳女友，女友从高空坠落，一路尖叫，跌到地面，变成一摊血肉模糊的东西。

"不！！"

女人从梦中醒来，她满头大汗，发现刚刚只是做了一个梦，她推醒身边的吴先生。

"要命了！我刚刚做了个噩梦！"

"梦到什么了？"

"梦到你向我求婚。"

"这是噩梦？"

"当时我们都飞起来了，停在空中，我忽然掉了下去！都怪你没抱住我！"

"哦……只是一个梦。"

"我得吃点东西压压惊。"

"我记得冰箱都快空了……"

"那还不快给我去买早餐！"

"才几点啊……店都没开门呢……"吴先生揉着眼睛。

"我饿了！"

"哎……行行行，有家二十四小时的，我去我去，您老躺好。"吴先生一边穿衣服一边说，"我去去就回。"

开门声，"嘎吱嘎吱"，接着，"嘚！"门关了。

她从床上坐起来，走到窗边，看着窗外街道，天蒙蒙亮，街上空无一人。她看到她的男友吴先生从楼里走出来，走在去超市的路上。她看着这个对她言听计从也毫无个性的男人的背影，换做几年前，这样的男人她是正眼都不会看一眼的，但现在随着年纪增大，她的闲暇时间需要这种男人的陪伴和照顾，以此找回殆尽的存在感，更何况，她觉得，他们的关系也让他有了从未有过的优越和自信。她暗自嘲笑自己竟然做了个偏离实际那么远的怪梦。

吴先生越走越远，但从窗口还是能看到他的身影，小小的，穿着帽衫，配一条薄款运动裤，走在通向超市的小路上。他边走边看了眼手表，接着放缓脚步，四下张望一番，腾地一跃，他飞了起来，朝着超市的方向。

到布鲁克林上班

1

今天我本来应该和几个朋友一起去市中心喝酒的，不过几天前我收到的一通电话打乱了我的行程。

是我过去的老同学打来的，他说不知谁在郊外租了栋别墅，让大家伙过去玩一个通宵。一开始我是非常兴奋的，但冷静下来转而又想起那些老同学中的几个人，他们称不上机智敏锐高智商，却喜欢在聊天时将粗暴的话题引向自己，但凡谁对其有利，哪怕一点点，他都能毫无遮掩地表达出兴奋之情。读书的那几年，大家穿着一样的衣服，读一样的教科书，除了身高和性别，很多性格都被隐藏起来，短短几年再遇见这些人，一些人一夜之间变成了某类特征明显的人，虽然这已经是司空见惯的，但我还是会惊讶一下，因为我见过这些人以前的样子，他们并没有因为我记忆的模糊而停止自己的生长。

接到这个聚会邀请之前，我本来应该按计划在市区一间酒吧见几个新朋友，那是个饮料和小吃都很便宜的地方，有一个很小的吧台和一张台球桌，但里面总是挤满了人，我想是因为它的地理位置，毗邻露台，从窗户的一边看出去就像身处一只鲨鱼张大的嘴，远处渺小的高楼像鲨鱼牙齿，大遮阳棚被固定住了，穿过去像是能通往遥远的星际。

夜幕降临后很多在周围大楼里上班的白领们会来这里，要一杯无酒精的鸡尾酒和大份薯条，浇满番茄酱，跟着音乐晃动晃动身子。就像几十年前，听人说那时候的年轻人下了班也喜欢到咖啡馆要一杯咖啡和一块小蛋糕，找一个照得到阳光的角落坐一坐。我想不管哪个年代，这个城市的年轻人大概都喜欢这个样子。

短暂的斟酌之后，我把市区那酒吧的约会搁置一边，毕竟以后去的机会还多。

我使劲回忆那些面孔，想起过去从某个学校毕业的情景，然后会去一个新学校，在新学校里碰到很多上一个学校的同学，或许这中间有些人还和我在毕业典礼上抱头痛哭过，但在新学校里，大家的关系也就是见面打个招呼，一个招呼，是给之后视而不见找的借口，我们很多人之间本来就没什么太多的话可以说。

原来毕业典礼的时候，我不是为了什么同窗间的友情和离别才哭的，现在科技那么发达，只要电量充足，使用这些通信工具可以二十四小时和朋友交流。只不过是想到又要去一个新学校，结识一群这样的人，然后和他们朝夕相处，这一套又得来一遍，循环往复。我是因为突然发现自己身处于时间的洪流，任其驾驭而且无力还手才哭的，我踏出了成为一个脆弱的普通人的第一步，我以为我很特别，至少有那么一小段时间父母总是给我灌输这种观念。忽然之间，我还没准备好做一个普通人，就被推着走上了一条普通的道路，怎么会这样？

2

我在路上花了整整一个半钟头才到郊区，又花了近半个小时才找到那栋聚会的别墅，在我推门进屋之前就听见里面几声似曾相识的叫唤，推开门，看到几个包叠压在一起，几双鞋子，和两箱饮用水。

"嗨！好久不见！"我对着那三个正围在门口那张桌子前打牌的男生们说，他们抬起头，又重新低下去看自己手中的牌，"嗨！"

我重复了一遍。

"啊……"孙嘴里哼哼两声回应我,其余两个人依旧盯着手里的牌。

"你带面条来了吗?"丽娜坐在厅里的沙发上探出头问我。

"Oh,shit。"孙手里还捏着牌平静地站了起来,"shit"也是降了八度的低音,"我忘记告诉她了。"

"你怎么能忘记这个?祝你今晚输掉一万块!"丽娜看着孙说。

"你不要忘记杰上次打牌还欠我钱。"孙站在原地盯着手里的牌,杰是丽娜的男友,是坐在杰对面打牌的那个男生。

"跟我说干吗?"丽娜走到杰身边,"你的车借我开一下,我到旁边找家超市。"

"啊?"杰终于开口说话了。

"钥匙,钥匙!"

"哦,"杰说,"再帮我带包烟。"

"Oh,shit,我怎么出了这张!"孙说道,"shit"依然是降了八度的。

"啦啦啦活该!"丽娜接过钥匙并且得意扬扬地冲着孙说道。

我看到烟雾从烟头和他们每个人的口腔中飘散出来,这一区域的空气被燃得有些黏稠。

"嗨!"我站在那儿又打了一次招呼,"亲爱的朋友们?"

"你打招呼上瘾？"杰说。

"哦！也祝你下午好！"我回复杰。

"他们今晚又准备大干一场，"丽娜指着楼梯下面放着的酒瓶，"你跟我一起去超市吗？晚饭都被几只饿狼当下午茶吃光了，还得去买一点。"

"我先把包放一下，再……"

"等下再说。"丽娜拉着我出来，门口停着他们的车，有一辆的玻璃镜上还挂着一路平安铃铛，我想不出他们中间的谁会在车上挂这样的配饰。

"这是谁的车？"我问丽娜。

"今天新来的那个人的。"

"新来的？我们都不认识吗？"

"对啊，都没提前说，本来卧室都是安排好的。"丽娜看我扣上安全带，快速地倒车、前进，沿着小径驶离了那栋房子，顺手打开收音机。

"你知道奥今天也来吧？"

"哦？是吗？"我说，其实我早就知道他今天也会来。

"他把女朋友也带来了。"

"是吗？"

"你不知道？"

"这不是同学聚会吗？干吗带女朋友来？"

"谁知道，也许是这些女人自己要来的。"

"这些女人？来了几个？"

"嗯……我想想，"丽娜边说边把收音机的音乐调低，"孙的女朋友，奥的女朋友，大概陆的女朋友也会来。我也是刚刚才知道奥有女朋友的哦……"

此刻收音机里放的是我们俩都已经不会唱的正流行着的音乐，但想到这些音乐过不多久也会被淘汰，就觉得也还好。

"你们都去结婚、怀孕、生孩子吧，"我说，"别忘了，十年后来拉斯维加斯找我。"

"话别说得太早，告诉你哦，奥的女朋友真的很瘦，而且我猜她有 C。"丽娜笑着说。

"我讨厌这个世界！"

丽娜猛地踩了刹车，我的额头差点撞上车前的空调扇，她松开安全带抱了抱我，"想你！"

我回复她以拥抱，"好啦好啦，我也是啦。"

丽娜是我在学校里最好的闺蜜之一，自从离开学校，我们见面的次数越来越少，都说自己太忙了，但说真的，也没人干出什么了不起的事情来。然而每当我独自一人处理完一些事情，回到家躺在床上，看着天花板的时候，我会想想当时我和那些人，我们是一个团体、一个稳定的小圈子，身处于人群中间，却不为随波逐流而苦恼，我们一起做一些事情，哪怕只是放学一起回家，这是一种和孤独正好相反的感觉。

丽娜和我，沿着小路行驶，一路寻找有卖面条和香烟的便利店，最后在一家破旧的杂货店里买到了面条，在车的后座上发现了一包烟。回去的时候那桌打牌的人已经散了，又来了几张好久不见的面孔，这群人终于从混混沌沌的下午苏醒，开始互相打招呼，或者说终于发现这间屋子里还有其他人的存在。

天黑之前，该来的人都来了，在这栋房子里挤了差不多快二十人，毫无仪式感地吃了一顿晚餐，除了面条还有一些速冻食品，装面条的盘子和几大包膨化食品摊在同一张桌子上，我总是担心盘子会打碎，时不时把它们从桌子边缘挪进来一些，那些张着口的食品包装袋和一次性杯子也跃跃欲试要翻倒的样子，好像只有我一个人担心它们会不会掉在地上碎掉、撒一地、翻倒、弄湿地板。

我决定吃完面条坐回沙发那边，况且奥和他的新女友正和我坐在同一张桌子上。

奥和他的女友坐在我的不远处吃着面条，和自己的同班同学谈恋爱的坏处就是，总会在那些同学聚会或者同学的婚礼上来一个该死的相遇，我一直觉得一旦这种尴尬时刻来临，上帝就躲在云层后面偷笑，这是他每天处理完世界大事之后的娱乐活动。

那个女生时不时地和奥耳语几句，她的领口很低，但下巴有些圆，我看到他们的手有时会握在一起，这个画面让我感到一种深深的魔幻感，好像宇宙正试图要告诉我些什么，但我无论如何都找不到答案。然后我做出了一件让我至今后悔得咬牙切齿的事情，我端起桌上的两个空盘子，起身走到他的旁边，对他说："吃完请洗盘子。"

"啊？"奥说。奥对我说的第一个字是："啊。"和刚才杰打牌的时候和我说的一样，"啊"，是最近男孩子中间的流行用语吗？

"我不洗碗啊。"奥说。

"不，"我说，"你要洗碗，每个人洗自己的碗。"

"我会把盘子洗碎的，我比较粗糙。"

"拜托，你是处女座的，会小心翼翼的。"

"我刚刚好像看到洗碗机了。"他用筷子朝厨房的方向指了指。

"你怎么知道他是处女座的？"V领女生问我。

我端着两个脏盘子看着她的领口，哑口无言。

"我是处女座的，我确实是啊。"奥插进来一句根本没用的话。

丽娜走过来，"谁都知道他是处女座的！我们几个好朋友以前一起给奥过过生日，不记得啦？"丽娜替我解围。

"啊！对！我们一起给奥庆祝过生日。"我说，以及被我活生生咽下肚子里的后半句，"那一天我们在众目睽睽之下，包括那只蛋糕的面前，我们亲吻了彼此，就在说完生日快乐之后、吹蜡烛之前"。

　　我捧着碟子离开那张桌子，走进厨房，小心翼翼地把盘子放进水斗，虽然里面已经积攒了如山的脏盘子。

　　"你刚刚在干吗？"丽娜站在我身后问。

　　"我今天出门忘吃药了。"

　　"喏，给你，药。"她递给我一支烟，我使劲摁掉了中间的爆珠，这个动作和坐在马桶上对半撕日抛隐形眼镜一样很减压。

　　"羡慕嫉妒恨，哎。"

　　"我？"我鼻子里哼了一声。

　　"他们也好不了多久的，"丽娜猛吸一口烟，又吐出长长的一口，"奥马上就出国了，澳洲，估计是不回来了。"

　　听丽娜这么说，我感到小腿肌肉有些颤抖，索性靠着桌子边上站着，心想：天哪，这大概是我和奥这辈子吃的最后一顿饭了。

　　"哦，好吧，"我说，"他赢了。"

3

　　厨房外面，孙站在那群唱 KTV 的同学中间，端着面条站着吃，孙的举动总是让我想到那些做事情勤勤恳恳的人，不知道为什么。去年夏天我在路上碰到他，他推着自行车，车前篮筐里放着两本活页夹，他说正在给老板做一些市场调查，我问他什么调查，他说了半天我也没太听明白，最后他自己也被绕在里面。当时我们都还是去各处实习的年纪，他拿着老板给的钱，请我喝了一杯饮料，我们坐在屋檐下的台阶上，他神神叨叨地问我："杰那个事情，你知道不？"

"杰什么事情？丽娜没和我说啊。"丽娜很早就和杰在一起了。

"呦，这怎么能让丽娜知道！"杰把可乐往地上一放，"事情是这样的，你记得我们隔壁的那个班，冬天也总是穿裙子的那个女生吗？"

"记得啊，你不觉得那个女的有点神经吗？从来不穿裤子。"和孙认识很久了，我倒不避讳在他面前表现出这种面貌。

"哦……以前我们男生中间也差不多这么评价她……"杰压低声音，"她呢，怀了杰的孩子。"

"你在逗我玩吗？"我知道这事孙没开玩笑，"你真是个小记者啊！"

"千万别告诉丽娜哦！说真的，不然杰就完蛋了……"

"现在怎么办啊？"我捋了捋快被我咬烂的吸管。

"过去的就让它过去吧……"

"你们男生就是这么看问题的啊！"

"哎哟你不要担心，已经那个什么了……用的是最好的药，杰说这个女人现在又开始穿露脐上衣了。"

我和孙并排坐在台阶上，盯着被阳光晒得发烫的马路，以及马路上那几个小孔成像的小圆圈。孙双手握着可乐瓶，低头用嘴衔那根吸管。

"所以那些医院……就是那些能把孩子……"我比画给他看，"里面都是谁在看病？"

"我不知道，和我们差不多大的人吧，那些年纪很大的女人没事情干吗要把小孩拿掉？你说是不是？"

"我不知道，听说我姐姐一个朋友就这么干过。"

"她几岁？"

"二三十？"

"听上去好像有点复杂，这种事情麻烦死了，所以现在就要开始攒钱，说不准以后用得到……"他忽然又加了一句，"混乱是真实生活必经的一站啊。"孙摸着光滑的下巴好像很意味深长，但我保证他自己也不明白自己说的是什么。就像他现在莫名其妙站在一群唱歌的人中间吃面条，他可能自己还没意识到自己在吃面条，也可能听歌听得入神了。

奥走到孙旁边，"吃完去洗碗！"

"你有病啊。"孙没睬他。

奥指着我说："她说的。"

孙回头看看我，"你们两个都有病。"

"这是谁带来的花？"我越过奥，望向躺在沙发边上的一束花，显然是那种在花店精心包装过的一束花。

孙拿起那束花告诉我，这是奥准备送给我的。听他这么一说我感觉头顶像罩着一个盖子，抑制住了空气的流通，眼前的世界开始扭曲。

我拿起那束花端详起来，放到鼻子边闻了闻，我从未研究过花，只知道在放花的瓶子里放一粒阿司匹林能让花多开一周而不凋谢。

孙忽然大笑起来，"骗你的啦！"

"我知道是骗人的，奥知道我不喜欢花的，每次收到根被剪掉，而且剪得很整齐的花的时候，就感觉像收到了一堆尸体，送花的人是给了收花的人一个家庭作业，就是尽可能延续这堆尸体的生命。"我说。

"谁给你送过花？"奥问我。

我摇摇头，"你不认识他们的。"

"放下那堆野草，过来过来！"我听见有人在喊我们，此刻大部分人都集中到了客厅的另一个角落。那些啤酒和威士忌已经放在了显眼的地方，他们确实要准备大干一场了，就像过去的每一次聚会那样。

我和奥，还有孙，一同走过去。

"你知道我印象最深的一次是什么时候吗？"

"什么？"奥说。

"就是他，"我指着孙，"还有他们几个，当时你不在，他们喝得酩酊大醉，我和丽娜扶着他们走在路上，记得有人几乎都要躺在地上了，那时候还是冬天。"

"幸好你们在。"

"那还能怎么办？忽然路边冒出一辆摩托车，改装过的那种，声音很响，但是一点都不好听。"

"然后我们和那个骑摩托车的打了一架。"孙回头对我们说。

奥茫然地看着我。

"他们互相都挑衅了几句，其实蛮奇怪的，他们根本都不认识对方，这些人大晚上的心里到底都在想些什么？"

"哦！我想起来了，听说你们在公安局待了一个晚上。"

"你答对了！"孙一边说一边拨开前面这几个人，坐在凳子上，"这局我来！"他随便拿起桌上一瓶倒了将近一半的酒，把杯子灌满。

孙一离开，我和奥就静静地站在那儿，然后奥的女朋友走了过来，我站到了桌子的另一边。我脑海里忽然冒出一幅很奇怪的画面，我知道不该这么想，就是奥的女朋友坐在那种都是年轻女孩的医院的长凳上，然后奥急匆匆地跑进来，女孩的妈妈坐在一边抹着眼泪。这幅我幻想的画面的视角很奇怪，是监控摄像头的角度。我应该狠狠地抹去它。

后来我也玩了几轮，等到奥加入的时候，我就退出了，不是为了躲避他，而是因为我忽然失去了对这种纯粹把酒精往下灌的游戏的热情，但出于伪装，我还是在那张桌子边上坐了一会儿，看着几个男生喝得都有点气喘吁吁，他们一点都没有结束的打算。

趁他们这一轮结束，我起身离开，晃晃悠悠地走到沙发那边，丽娜给我腾出一个位子，我一下倒在沙发上，头一歪，靠在她肩膀上，她翻看着手机里的照片，快速地一张张浏览，她说她现在做代购化妆品的生意，然后絮絮叨叨地跟我说了一堆她的进货渠道和营销手段，还有一些定价方面的东西，我听得糊里糊涂，"那这些东西真的是你代购来的吗？"

"是啊！"她点点头，我的头靠在她肩膀上。

"那我以后就找你……买护肤品……"

"你困了吗？"

"没有啊，大概刚才喝的酒有点上头，过一会儿就好了。"我试图通过回答她的问题来告诉自己，我一定不能在大家都玩得高兴的时候呼呼大睡。

　　我坐正身体，掏出手机，借着房间微弱的灯光，手机屏幕像一面模糊的镜子映照出我的脸庞，我发现我的左脸有些发红，我把手机移得稍远一些，举高了一点，这样能看清我的整个面孔。一个声音在我耳边响起，"嗨，你在自拍吗？"

　　"啊？"我放下手机，那个不知道被谁带来的新人在对我说话，我告诉他，"我在找信号。"

　　"郊区信号是有些差。"

　　"真的！"我把手伸得更长一些，假装在搜索信号。

　　他没有回答我，我放下手机，然后看到他的目光正直愣愣地盯着我，"你的左半边脸是怎么回事？"他问。

　　"有点红，不用你告诉我！"

　　"你的脸红得真奇怪，你也很奇怪。"

　　"这位朋友，你真的是被邀请过来的吗？"

　　"是。"他直起了腰板。

　　"谁请你来的？"

　　"杰。"

　　"好的，我会告诉他明年你就不用来了。"

　　"不会的，你才不会呢。"他说的时候得意扬扬，还伸出右手，握拳，忽然伸直了食指，左右摇摆他的食指。

"为什么我不会？"

"我是学摄影的，是一个摄影师，女孩子不都希望有个会拍照的朋友嘛，我对人物观察都是很仔细的。"

"摄影师？摄影师每天都干些什么啊？"

"我现在到处漂着，过两天准备辞职，啊！太压抑了！"

"辞职去哪里啊？"

"以后我要去布鲁克林的一个工作室工作。"

"你还没回答我的问题。"

"不好意思，你的问题是什么？"

等这个新人走开后我问丽娜，"这是你们家杰带来的人？这人真的会拍照片？"丽娜说不知道，还告诉我，她下午看到这人在楼上的衣橱里独自蹲了一会儿。

"布鲁克林，去起来那么容易哦？就他？"我说。

"乌鲁木齐还差不多。"

"哈哈哈，那他还说我奇怪，我看上去很奇怪吗？"

丽娜抬起头盯着我看了看，"你很正常。"然后她的目光重新落在她的手机上。

我去卫生间透气，那儿现在变成了这栋烟雾缭绕的别墅里空气最清新的地方，一楼的卫生间里有人，我扶着楼梯到二楼找卫生间。我盖上马桶盖子，坐在盖子上，手臂撑着膝盖，把头埋在手掌里。那些派对的喧闹声正从我的脑海中撤离，我们本应该有更多话可以说的，不知道是谁把节奏搞得如此之快，大家都在想着下一个该轮到谁喝酒。我坐在马桶上，揉了揉太阳穴，集中精神把自己从当下的环境里抽离，直到听不到一点声音，除了耳鸣。但还是听到了有人敲门的声音，我没有理睬。

"是我。"

是奥的声音，我给他开了门，他回头张望了一番，确认二楼没人看到他，才进来的。

"我刚刚把我的那个盘子洗了，"他靠着墙，我倚着水斗站在他对面，"你听我说，是这个女生，自己提出来要和我在一起的。"

"你上周和我说的那些话是什么意思？"

"哦！我和你说之后，那个女的也是上周才和我……"

"那你现在想说什么？"

"我想告诉你，一切都还来得及，现在一切都听你的，如果你说……"

我做了个暂停的手势，"你知道吗？刚刚有个人莫名其妙说我很奇怪。"

"谁啊？"

"谁你别管。但是，我现在发自内心地觉得，你才是这里最奇怪的人！"后半句算是我用嗓子吼出来的。

"嘘！这儿隔音不好！"

我开门要走，他又拉住我，我说松手，他立刻听话地松手了。

"你听我解释，我并不是像看上去那样的无所谓。"

我没听他说，开门走了出去，杰站在厕所门口，他软绵绵地跟我说了声嗨，急着冲进了厕所，我走到楼底的时候听到厕所里传来杰的一声吼叫，"你站在这儿干吗？滚！"

我扶着楼梯回头看了看厕所的门，依然关着，长长地舒了口气，抬起头忽然看到奥站在自己身后。

4

咔嚓，咔嚓，咔嚓。三个清脆而连续的快门声，那个自称摄影师的新人站在楼底下，举着相机对着我，我靠着扶梯，一手撑着腰说："你想干吗？"

他没有回答，对着我此刻的姿势又是上下拍了两张，在我加重脚步往下走的时候，他检阅起了刚才拍的几张照片，"还可以哦，回去后我传给你。"

"删掉。"

"为什么？拍得还可以啊。"

"删掉，我不希望我的照片留在一个陌生人的照相机里。"

"可是你的照片已经留在了很多陌生人的相机里啦，比如说在你旅游的时候，其他游客拿出照相机给自己的朋友拍照，而照片背景里的你正眯着眼睛看远处的风景，你说我说得对吗？"

"删掉。"

"好吧，算了。"

我走向楼底，和他擦身而过，我用余光看到他抱着相机，这画面确实让人心生怜悯，仿佛是对他的理想的漠视，但我也没必要为他的摄影爱好出一份力，哪怕是微薄之力，他完全可以跟那些论坛里的摄影爱好者一样，召集几个志同道合之人，相约在某个山顶，早上三点就举着相机等待日出，在漫长的等待中终于出现了期待已久的自然风光，用心爱的镜头和调试了很久的感光度，拍下那些自认为能感天动地的光和影。

楼底那张热闹的桌子旁边，地上的酒瓶已经堆成小山，一个男生正捧着黄酒瓶子往自己嘴里灌下去，速度很快，所有人都在为他摇旗呐喊，瓶里的液体一点点下降，最终消失在瓶口与嘴的交界处，还有一些液体顺着嘴角流出，滑过脖子，流进领口，那一瞬间，这群人都从座位上站起来，爆发出震耳欲聋的欢呼声。

丽娜打着哈欠上楼睡觉去了，我说我也上去吧。然后最后看了一眼那群已经东倒西歪却还挣扎着爬起来继续喝的人。我们找了间三楼的卧室，先是开着窗聊了会儿天，下面房间的吵闹声传了上来，我们索性把门和窗都关了，但依然能听见声响和震动，后来索性就伴着这些声响入睡了。

有人敲门，我们裹着睡衣去开了门，孙站在门口，"姐妹们。"

"想干吗？"

"你们今晚千万别下来了，好好睡觉。"

"本来就在好好睡觉。"

"好，别下来哦，乖，爱你们。"孙说完话就转身下楼了。

我们等了一会儿，就从楼梯口往下看去，楼下已经闹成一场战争了。

"我没兴趣，我要睡觉了。"丽娜说。

"我也是。"

我们锁上了房门。

第二天一早，我早早就下楼了，没想到好几个男生都已经坐在下面了，甚至开车出去买好了早餐，我想这几个人昨晚应该一宿没睡。楼底望下去自然是一片狼藉，没有一张桌子能放东西了，每一张都堆满了昨夜的残余，地上不少玻璃碴子，连那一束花都四散在厅里的地面上。我小心地跨过它们。

孙告诉我，后半夜大家玩得正尽兴，那个新人忽然疯了。

"疯了？"

"哎，就是……"孙挠挠头，"先是说自己没房间睡觉。"

"怎么会没房间？上面好几间空房啊。"

"他一定要睡……你们睡的那间。"

"那你们叫醒我们啊，让给他好了。"

"我们也是这么说的呀！但他立刻说，算了，不要了。后来安静了一会儿，又说我们玩的规则不对，但没人听他的，他就开始打人了，嗯……总的来说，他有点暴躁。"

"难道昨天晚上楼下声音那么响……"

"现在谁没个烦恼，好像就他有似的。"

"有人受伤吗？"我问。

"受伤倒没有，就是摔坏一副眼镜。"

然后在这种安静的气氛中我吃了早餐，一边想象昨天晚上这间屋子里的场面。应该是，扭打的扭打、摔瓶子的摔瓶子、劝架的劝架，那束鲜花被人拿起，砸向不远处，四散飞舞；那个新人弯腰捡起地上的外套，背着相机，拿走了自己的车钥匙说："我走了！"

有人问："你去哪儿？"

他说："我走了！"

然后有人拉住他，"你喝酒了，不能开车。"

他还是走了出去，住在不远处一间小旅馆的客房里，呼呼大睡。

后来又听别人讲了些昨晚故事的细节，和我想象的画面差不多。

中午，所有人都起床了，这一场派对也该散场了，奥和他的女朋友乘地铁回去，我和丽娜、杰、孙一辆车，其余的人也各自拼车回去了。

回去后，我和另一群新认识的朋友去了那家市中心的天台边上的酒吧，为了让新朋友觉得我是个经历丰富的人，在城市迷人的夜色下，我和他们说了一些奇特的事情，包括那一次的同学聚会。他们听完后纷纷表示，我们制止了他醉酒驾驶，是很善良的。

不知道是不是实话，但却是我希望听到的评价。

过了几个月，我在一个追悼会上还见过那个新人一次，这是我第二次见到他，这一次他有了名字，不叫新人，他的名字被写在许多明显的地方，他躺在玻璃罩子里，我们几个朋友一起去看他，当时奥已经不在国内，那天派对上的许多人可能都还不知道这个消息，认识的人里也就来了我们几个人，包括那个眼镜被他打碎的人。

站在罩子前面，和他的距离不太远，他看上去不像睡着了，就是死了，很明显地死掉了。但是想到这个人的时候，我不会想到他的车在隧道里同另一辆车相撞，车翻了个跟头，又撞在墙上，给墙面上留下一个大坑，接着车子着起了火，警察甚至封锁了那个隧道。他躲过了那一晚的醉酒驾驶，在几个月之后却没躲过隧道里的横冲直撞。

　　想到他，我能想到的是在纽约的夏夜，布鲁克林，月光穿过叶子间的空隙，风里带着暖意，黄色出租车，快门声，空气在膨胀，带着一切尽失的恐惧和兴奋，认为一定会发生什么。我想我们都可能成为这样的人，或者已经是这样的人了，也可能努力让自己不变成这样的人。然而事实是，这个世界上每天都有这样的人会因为各种原因死掉。他说要去布鲁克林做个摄影师，最后连个乌鲁木齐都没去成。

　　现在，在大大小小的聚会上，再遇到这样的人，我总是不忘提醒他们注意交通安全。

露天电梯

　　我回家的时候看到底楼院子里躺着一串钥匙，上面挂着一把房门钥匙、一把车钥匙、一把画廊大门的钥匙。看来吴斌已经准备彻底和我脱离关系，昨晚他和一些朋友在我家待到很晚，朋友来之前我们就产生了些矛盾，后来我随口说，让他自己想办法解决租画室和住房，他摔门就走了。那群朋友也装模作样地出去找了他一会儿，后来都没了声音。

　　吴斌和我几乎是相反的两个人。他这两年来一直和朋友合伙开着画廊；而我干的是朝九晚五的工作，每天要面对不同国籍的商人，和他们谈一本正经的项目。

　　还是吴斌的那些艺术家朋友有点意思，称这些人为艺术家，

只是因为他们的生活作息和我颠倒，但仅此而已，从他们身上我
并没有觉察到有什么不同于他人之处。我很喜欢这样的氛围，那
几个朋友，和我还有吴斌，坐在阳台上聊几周前令人反胃的学术
研讨，越是荒唐的东西越能令他们兴奋，男人们抽起烟来是一盒
接一盒，直到烟灰缸塞满，客人们也高兴地离开了，我起身收拾
吃剩的残羹。多亏了吴斌，让我的生活里多了几个这样讲话特别
有意思的朋友，不是说我原来的那些朋友我看不上，是他们都越
来越不真诚，以前不觉得，现在和他们说起话来需要去假装一些
什么才能融入其中；而也多亏了我，吴斌才能开办画廊，他本来是
个直来直往又倔强的画家，在一些问题上很吃亏，现在他不再是
孤立无助独身一人，他的英雄情结减淡了，也接受了这个行业强
加在他身上的游戏规则。

　　我们刚在一起的时候我做什么事都很犹豫，每说一句话之前
我都在想这句话该不该说，还要构思语言结构，怎么说才好听，
讲完了还要担心要是我没他想得那么有趣该怎么办。后来就好了，
我们是想到什么几乎都能说出口，也不担心对方会有什么反应，
哪怕是报流水账。说什么已经不太重要，重要的是一直有话可以
讲，像一条起伏有规律的心电图。而且，到了最后，不就是找个
可以讲讲话的人吗？

　　当我们逐渐熟悉起来，可以在聊天的时候信口开河、当着对

方的面做各种动作，后来慢慢演变成在对方说话的时候若无其事地接电话、对方晚归的时候反锁了大门。有一次凌晨四点，吴斌回来的时候发现门被锁了，我听到他的脚步声，他掏出钥匙，起初他不相信门锁了，以为是坏了，就不停地往我手机上打电话，我把手机放在客厅里继续睡觉，后来隐隐约约听到玻璃窗被敲碎的声音，以及他沉重的脚步声，也许他真的太疲劳了，都没有力气走进卧室，在外面的沙发上睡到了第二天下午。

我不禁怀念起刚刚认识他的时候，那个对彼此感到陌生、对对方充满期待的时光。我对他的第一眼，没想过要和他谈恋爱，是在见到他的第二天才想的。

一个月前，我们正肩并肩站在厨房里一起准备晚餐，这天晚上，他的两个朋友约好了会来家里做客。我把下班刚买的红酒从纸袋里拿出来，先开了一瓶，给自己倒了一杯，吴斌站在煤气前轻轻翻炒着洋葱，格外的香，他今天用黄油代替了橄榄油。

"阳台的花浇水了没？"

"嗯。"

"幸好，我今天忘浇了。"我仰头喝完杯里的最后一口红酒，把杯子放到桌子的一角，帮着他撕开桌面上生牛肉的塑料包装。

"这个没解冻，等我来弄。"

"哦，今天公司开会，准备裁掉那个德国人，我在电梯里碰到他，他脸色很差，好像已经有预感了。"

"我叫你别动牛肉。"

"没关系，马上就……"

我听见身后传来金属落地撞击地面的声音，煮饭的铲子落在地上，在瓷砖上划出一小圈油渍，我目光上移，吴斌正瞪着眼盯着我看。他瞪眼的样子有些搞笑，像个动物，但我又说不出是哪一种动物，我实在没忍住笑了出来。

"很好笑是吗？"他放松了眼部周围的肌肉，不苟言笑地问我话，我这才意识到他是认真的。

"你怎么……"

"叫你别动这肉！"

"我只想……"

"好，你来，你来吧！"他跨过地上的铲子，径直走出厨房，没有关掉煤气上的火，锅里的洋葱依然噼啪作响，就算开着窗户，浓郁的味道仍渐渐弥漫了整个厨房。

他光着脚，穿着我买给他的 T 恤，屏气凝神装模作样地站在那儿准备晚餐，就是为了等我上钩，我能感受到这爆发是他早就预谋好的，好让他把积压的怒气和不满一泻千里，我真是太了解他了。

我看到他现在一个人双手交叉着坐在沙发上，像个思想家，然后思想家开始摆弄起手机，打起了电话，声音大到我站在厨房里都能听见。电话里讲的还是他的画廊正筹备的一个新展，几天前听他提起工人的装修速度太慢，做工也粗糙。我自然而然把他生气的原因归结为工作压力，因为也确实找不出别的什么理由，更不想去猜想还有什么理由，或许我知道，但本能地不去想。我可不是什么艺术家，非在思想上把自己逼到某种绝境，精神上吃不消，我是每天都要上班的人，有些事情睁只眼闭只眼就能过去，实在过不去那也是天注定，没辙。我也跨过掉在地上的铲子，摸了摸牛肉，还是硬邦邦的一块，我索性把它扔进微波炉里。

在朋友们来做客之前，吴斌还是回到厨房，从微波炉里取出解冻了的牛肉，继续做完了一整桌的菜，等朋友们到了之后，我们之间的气氛也在聊天之间渐渐缓和，我知道，每一次争吵，最后还是像任何一次那样，莫名其妙地和好。

几天前，我们也吵架了，和这次很像，僵持着，谁都没有出来认错的意思。那天我正好约了人，看到对面那栋楼一扇窗户里的灯忽然暗了下去，我深吸一口气，拎起包就出门去了，重重地甩上门。

我沿着家附近的马路多晃悠了几圈，观察那些和我擦肩而过的行人的匆匆眼神，我发现我开始变得和吴斌越来越像，我以前应该是那种被人观察的匆匆行人吧。我故意迟到，然后又加快步伐到了约定的地点，和我相约的人已经坐在位子上了。

她低着头坐在我对面，这是我第一次这么近距离地观察她，这个女孩比我年轻，也没有我身上的精通世故和老练，眉宇间尽显稚嫩，但从她红黑相间的无袖上衣看得出来有一点她和我很像——野心勃勃。

"我迟到了。"

"没关系的，我让服务员点菜吧……"她惊讶地看着我，故作镇定，声音颤抖了。

"刚刚和吴斌在家吃过，我就不吃了，来杯饮料吧。"

我大胆地观测她的一举一动，就像我自信地坐在会议室的桌子前，观察那些公司里来的客户一样，为了营造一种自信，让别人能感受到的自信，而这时候心里想着的就是，我才不是单枪匹马地坐你对面，我背后还有很多你未知的而且是你想要的。

"还不知道你叫什么名字？"我问她。

"蕾蕾。"

"蕾蕾，我也就直话直说了吧，我从没想过有一天会和你坐在同一张桌子上，"我轻松地转动手中的筷子，"要不是看到吴斌站在你家窗口，我们说不准还能成为朋友。"

她的双手放在桌子下面，阴着脸，肌肉都是僵硬的，完全不像她在社交网站上的头像那样甜美。

"我一开始不知道……"

"我一开始也不知道，后来我知道了，姐姐告诉你，你这个年纪就应该找同龄的男孩子，好好谈个恋爱，我了解吴斌，他喜欢你，喜欢你的年龄、你的穿着、你口中那些年轻人之间的新事物，但这些东西说到底又怎样？到那时他还会对你感兴趣？一不高兴了随时能把你一脚踹开，听明白了吗？"

我看见她的目光，一直是在抵抗的。

我看了一眼手表，起身离开，往家的方向走去，路过我们刚才坐的位子的窗口，我往里瞥了一眼，这个叫蕾蕾的女孩正抹着眼泪，她的身边还坐了另外两个女孩在安慰她，大概是她叫来的朋友。

我想她会缓过来的，过不多久就能意识到，这样的男人，起先崇拜你，然后渐渐都会离开你。

他今天连钥匙都还给我了，我脑海中闪现出他此刻的模样，他也许去了画廊，也许和朋友在一块儿，我打电话叫了外卖，狼吞虎咽地吃了下去。一个插画师今晚会来我家，本来是想同我和吴斌一起商量些事情的，看来今晚只能我一个人接待他了。门铃准时响了，我去开门，吴斌站在门口，我开门后他就将烟头扔到地上，用脚踩灭，我挡在门口，他就侧身走了进来。

"我和她谈过了。"

"谁？"我漠不在乎的样子。

"你到底想怎么样？"

"你就喜欢我这个样子，承认吧。"

吴斌没有说话，他不知从哪儿走过来，在身后抱住我，我没有反抗，我手向后伸去摸了摸他的脖子。

他越抱越紧，他认输了，我也是，我们又和解了，就像他砸了我家窗子那回一样。我们重新坐回到阳台上，我俩都有些喝醉了，我摆弄了几下我养的那些花，以及几盆小巧可爱的多肉植物，收起花篮下面放着的望远镜，这东西本来是我们为了和几个朋友露营的时候买的。

我们幻想我们是两个乘电梯的人，电梯一会儿停一会儿停，上来几个人又下去几个人，我们有时被人挤着贴在一起，有时被分隔到电梯的两角。最后，电梯里的人都下去了，正好剩下我们俩，电梯升到了顶层，冲破天花板，冲破天台，直冲云霄。我低头看见那些下了电梯的人，他们安安稳稳地待在大楼的某一层里，看他们的衣食住行，看他们平淡静谧且幸福的日常生活，想想又实在不想加入他们。

我知道将来可能会痛苦至极，可是现在感觉很好。

等到深夜

　　她不知道阿布正透过门缝瞅着她，可是当她锁上门准备回去的时候，她听到对面吱吱啦啦的声响，因为快到午夜了，她以为是从更远的地方传来的汽车发动机声音，因为在午夜这个点，总有年轻人喜欢把家用车改装的轰鸣声响亮的车开到大马路上。阿布从对面走到她身后，直到离她很近的距离时，她才意识到此刻又要花一番力气才能摆脱他，她自然没有理睬阿布。"我们不可能同行。"她曾对阿布说过这样的话。

　　他们身边飞速驶过三辆车，隔着相等的距离，相同的速度，她加快步伐朝着隧道的出口走去。

　　"你方向走错了，应该朝入口走。"阿布紧随其后。

她没有回应他。

"你今晚有约了？我认识吗？对了，我连你一个朋友都不认识，我今晚恰好是空闲的，一起走吧。"

她依然没有回应他，只是又加快了步伐。

"我们一起走……"

她跑了起来，没等到他说完，他跟着她跑了起来。这两个人一前一后，奔跑在深夜的隧道里。

不管是温暖的季节，还是寒风凛冽，每一个工作日的早晨，隧道里就开始拥挤，这股推也推不动的劲儿从隧道口前面的路口就开始酝酿起来了，这个十字路口如同一个硕大的十字架倒在天桥之下，浸没于医院门诊部、写字楼、电影院以及周边那些人工味浓厚的绿化带之间，倘使人们在来去匆匆之间忽略了它的存在，它依然犹如被神明祈福过的某种物件隐隐地折射出庄严的微光，或者说它自身也漠视了人，只有路人或车子簇拥着汇聚形成的川流不息在它的表面留下浅痕。

总会有一个人，在这个四车道合并为两车道的隧道口，提着公文包，贴着墙壁，缓缓地朝隧道里走进去，用他节奏平稳的脚步越过身边一辆辆争先恐后想要挤进隧道里的汽车。如果你是坐在车中的人，看到他的时候，心中一定会飘过一丝疑惑，但这种感觉很快就会被左右两边传来的喇叭声取代，你会立即将注意力集中到如何将车挤进隧道，然后忘记这个朝隧道里走去的人。他就像隧道里的某个零部件，不温不火地慢慢与之融为一体。这个人就是阿布，他的办公室在隧道里面。

隧道里所有的墙面被面积很大的一块块瓷砖包裹着，分成深蓝色和天蓝色。每一天，阿布数着步子走，走到二百六十八块瓷砖的时候，他就放下公文包，两手扣着这块瓷砖的左边缘，就像打开一扇冰箱门，他打开瓷砖门，里面是一间办公室，先摸索着打开灯，房间里一应俱全，书桌、沙发、饮水机、书橱，还有一扇很小的门，门里有一个马桶和水斗。阿布一把将公文包扔进去，然后跨进屋里，很快地关上瓷砖门。这是一个很快的过程，需要动作很快，不然就会影响隧道里车辆的行驶，他微微喘息，环顾这间屋子，这就是他的办公室了。

这间屋子除了他的老板和他自己，就没人来过，包括总对他冷嘲热讽的父母和哥哥，如果要和客户见面，他通常选择在隧道口不远处的一家咖啡馆里。

五年前他刚丢了一份工作，当时他就站在这个路口之上的人行天桥上，一筹莫展，最切实的想法就是赶紧再找一份新工作。他扶着扶手，沿着台阶走到地面，走下来就能看到这家咖啡馆，一个老头喝完了最后一口咖啡，从里面走了出来，阿布三步并作两步坐到老头儿刚坐着的凳子上，他喝剩下的咖啡还带着余温。

他打开电脑到求职网站碰碰运气。

　　没几分钟那个老头又绕回了咖啡馆，阿布一下子就感觉到身后有人正注视着自己，他转身疲惫地看着老头，因为不喜欢和陌生人接触，每一次的肢体接触和语言交流都让他感到体内某种物质润物细无声地流走，他不知道是什么，也没有太多的朋友可以去探讨，不太愿意独自面对揭示真相后的空旷，他习惯在真空状态下循环反复地解决相同的问题，他熟悉这其中的每一道程序，并知道进展到其中的某一处时他就会被困住，他一直在等待，在等待中祈祷，即便不能顺利进展，也希望有一个地方是他的容身之处，一个能让他如鱼得水的状态，一缕思绪，温和、明媚的，一种预示着他能云开见日的怀疑有时对他来说也是足够的。他本想在冬天去一个遥远的城市，除此之外并没有更远的打算。在丢了工作之前，他的每一天都好似度日如年，家人对他一直是冷嘲热讽，他也不太明白他们这样到底是为了什么，他认为言语攻击并不能让任何人得益。

　　有时候深夜里需要靠很大的力气将焦虑之情压回肚子里并消化掉，总之他一直不太高兴，每当得知他人的成就、物质生活、情感收获，就犹如一把利剑，他想变成一颗陨石，撞向地球，大家都不要活好了。随着夏日临近，这样的思想已经在烈日骄阳之下融化成一湾浅浅的池子，但对他来说这些支离破碎的念想偶尔会飘近他的脑海，虽然只是短短几个月前，他却感到遥远，不是生活有所改善，只是时间彰显了自己的力量。

老头指了指墙角，他拿起拐杖递给老头，老头低头看着他的电脑，阿布立即将屏幕合上。

"你对工作有什么要求吗？"

"关你什么事儿？"

"本来我这儿正好有一份工作……"老头接过拐杖准备转身离开。

"喂喂喂！啊……不对，你等会儿，请再说一遍。"

"你对工作有什么要求吗？"

"我之前那份工作是在……"

"之前？你现在失业了对吗？"

阿布拿起桌上的叉子在盘中央画了两个圆圈，摆弄着剩下的一小口蛋糕，差一点戳下去塞进自己嘴里，他忽然想起来这是眼前这位老头吃剩的，他不愿对老头就这么承认了，即便事实如此，因碍于面子，他只能把那小块蛋糕用叉子捣鼓碎了。

"那你就是没要求了。"老头朝着门口走去。

"只是为了羞辱我一番？这是你的乐趣所在？"

老头回头看了一眼，"你还坐在我的残羹剩菜前面？我以为你会跟着我一起走。"

阿布抱着电脑站了起来，他大跨步地走到老头身边，他们走出咖啡馆，老头带着他走到了车道，他们是贴着边走的，一辆接一辆的汽车从他们身边飞驰而过，阿布一边扶着绿化带一边暗自羞愧，这种羞愧源自身边呼啸而过的车子里乘客的目光，他揣测老头的目的，并打算原路返回，但犹豫的间歇里，他们已经沿着绿化带进入了隧道。

当时已临近中午，隧道里的车速已经比高峰时期快了不少，每一辆经过他们的车都能刮起一阵小风，阿布别无他念，但愿这一切快些结束。老头走到一半停住脚步，打开一扇瓷砖，如同打开一扇门。老头对阿布说："如果你能在这里成功，那你就能在任何地方成功。"

虽然这情景距离现在已经事隔五年，眼下的阿布对于在隧道里的生活也早就驾轻就熟，起初他不知道如何面对一整天都是独自一人的状态，唯一让他坚持下去的除了每月那点工资，还有就是老头说的那句话。

正式工作前一天晚上他下载了满满一手机的游戏，这些东西有一种黏稠的魔力，又能让时间很快过去，一年不到他便开始厌倦，他已经在脑海中整理出一套手机游戏的创作规则，就像看了很多综艺节目的人也能道出一些节目编排的规律一样。为了不每天面对着这块小屏幕，他偷偷打开瓷砖门，留出一小道缝，透过它观察这里来来往往的乘客和司机，有人在指着前方破口大骂，坐在副驾驶位置上的人面无表情地盯着前方；在所有车辆因拥挤不堪而停止前行的时候，一个英俊的男人忽然抱住正在开车的男人，对方回应给他一个浅浅的微笑；还有带着三个孩子的母亲，孩子从前排爬到后座，又在后座上跳起来，头撞到天花板，哇的大哭起来，母亲不得不一边控制着方向盘一边回过头安慰那个孩子……

他自己也没想到在这儿一干就是五年。说实话，在隧道里工作，只要关上瓷砖门，就和坐在办公室的格子间里的差别不大，甚至地方比格子间更宽敞一些，只是没有一块儿聊天的同事。阿布过去待过的公司，同事都跟他的情况差不了多少，每个月就盼着发工资这天，但几个穷人凑在一起也能聊到十万八千里那么远，只要苦难经历差不多，也没人往高处流淌去。可是现在只剩下他一个人了，曾经令他深恶痛绝的写字楼变成了他梦寐以求的地方，他渴望过去挤在人群中等电梯的焦躁、加完班起身看到一个个格子间如田野般漫无边际、在食堂里和同事们讲几个令人犯困的笑话。

一天凌晨，他在办公室里睡过头了，其实那天他早早完成了手头工作，没想到睡了沉沉的一觉，醒来已是午夜之后，门外隐隐传来一连串发动机的轰鸣声。他吃力地从沙发上坐起来，将桌上的东西一股脑地塞进包里，将门推开一道缝，一只脚跨出去，然后再跨出一只脚，最后拿起包，关上门，准备沿着墙壁走出隧道。

在他办公室的那扇瓷砖门的对面，一块天蓝色的瓷砖挪动了，缓缓前倾，最终和地面垂直，一个女人从里面爬了出来。这个女人和他的动作正好相反，她先将包扔出来，然后自己再爬出来。

"嘿！"阿布隔着两个车道冲女人大喊，女人似乎没有听到，阿布左右环顾，确认没有车子通过，小跑到对面。在这个魔幻而闭塞的城市里，阿布永远记得两个场景：一个是头一回踏入隧道，贴着墙听着车子在身边快速驶去的声音；另一个就是看到对面的瓷砖挪动，一个女人从对面的办公室爬出来的情景。

"你来这儿多久了？"

女人惊慌地看了他一眼，"不记得。"

"你不用紧张，我就在对面！那块深蓝色的瓷砖后面就是我的办公室。"

"你后退一点，我没法关门。"

"这样可以吗？"阿布后退了一步。

女人关上门朝着隧道入口走去，阿布不想显出自己迫切要与人交流的样子，他看到她，踩着高跟鞋沿着墙壁，在隧道冰冷的路灯照耀下，虽然她背对自己，但却感觉她是向着他走来的。她对他来说是那么珍贵而稀有，独一无二。他跟着她走了一路，她也时不时地回头看看他，在路口的地方，女人坐上了一辆出租车扬长而去。

虽然这种相遇他从未预见，也让他大为震惊，他合计着下次还要等到这个女人，他们都在隧道里的办公室工作，他曾经以为只有他自己是这么干的。要是留给我们一些时间，那一定有许多说不完的话，他推测。她能理解我，这个世界上很少有人能真正地懂我。

这个女人并不是每天都来隧道里上班，据阿布的计算，她每周来的时间不超过三天，都是从下午到深夜，在阿布了解了她的工作时间之后，他趁着她不在办公室时，就用两根铁丝打开了她的瓷砖门，爬进去一探究竟。里面没有放太多的个人物品，除了一个小衣橱，里面放了三条裙子和一根皮带，下面放了一双拖鞋，和阿布一样，房间里也有一个沙发，阿布拿起其中一条裙子凑到鼻子边上，原来她身上的味道是这样的呀，阿布心想。他坐到她的写字台前，随手打开一本开面很大的本子，里面贴着各式各样的海报，最新的几张都是关于葡萄酒的。他合上本子，起身离开，回到自己的办公室。就这么来来回回数次之后，他感觉自己已经渐渐进入了这个女人的生活，他知道她的工作内容、她的着装品位、她偏爱的零食、她正在读的小说，而且他有预感，这是一个单身的女人。虽然他们从未有过真正的交谈，但他幻想着他们的关系将从这里开始，始于地下，她总是神秘莫测且面无表情，他借由这股力量重新找回丢失的活力。

　　终于在一个周末的夜晚，阿布决定等到她下班，他鼓起勇气和她打了招呼，她看上去没什么心情搭理他，他的穷追不舍让她感到恼怒。为了避免和他同行，她朝外走了一点，他试图拉住她，但她巧妙地躲闪了。

　　"你为什么要这样冷漠？"阿布边走边喊话。

　　一辆白色的车从后面驶来，阿布看到里面坐着四个人，当车将女人撞飞的时候，副驾驶的那个人的头也撞在了挡风玻璃上面，女人被撞到很远，阿布跑过去，蹲下来，抱起她，女人惊恐地看着他，却说不出话，阿布的衣服上像沾满了番茄酱汁。

　　十分钟后来了两辆救护车，女人连同车上那几个乘客一起都被抬了上去，阿布最后一个上的车，女人躺着，闭着眼睛，戴着氧气罩，不知道是死是活。阿布朝着救护车车窗外瞥了一眼，蓝色和天蓝色的瓷砖飞速后退，他已经在这条道儿上走了几年，对这儿了如指掌，他以为快要认识这里的每一块瓷砖了，却发现自己已经不记得在它们中间快速行驶的滋味。这不只是乘客坐在车上看到的窗外景象，而是一种电影的视角，观众坐在座位上看着大屏幕里的影像，而瓷砖的飞速后退和因地势起伏产生的隐约波浪，给了阿布一种电影视角、一种感官愉悦、一种恍然大悟、一道闪电。每一块瓷砖忽然都成为了一扇门，后面都藏着一个办公室，它们整齐划一地开开关关，里面探出一个个脑袋，每张面孔都不一样。

　　到了医院，他下了救护车，看着女人被几个医生推进了大楼。他叫上一辆出租车回家了。他决定明天再找找，看看能否在隧道里再找到另一间办公室。

后 记

　　这是一本短篇合集，里面有我这两三年里写下的一些小说。即便时间隔得不久远，但重新回看这些故事，还是能感受到自己在这几年里做出的一些改变。

　　写《谈恋爱之前谈什么》的时候，我进大学不久，我想把那些我新学到的编故事技巧都融进小说里那两对情侣的人物关系里，后来这篇小说真的被登出来了；写《闲着也是闲着，不如养只狗》时，我正迷恋着新浪潮时期的影视作品与那个年代的小说，我想要让效果从文本中显现出来，这篇小说登出来的第二天，我收到的私信里，有个人认真地给我写了一大段他对一只狗的特殊情感。这并不是我写这篇小说的本意，但这也让我意识到，作者并不是她（他）的小说的全部拥有者，小说的另一部分属于读者，属于读者的想象力。这本小说集中，有一篇最近写的《赵氏孤儿》。有写它的想法是在今年夏天，我的论文导师推荐我去看英国皇家剧团排的话剧 The Orphan Of Zhao，由英国诗人詹姆斯·芬顿编剧。受了芬顿的启发，当时我就想，为什么我不能用我——一个二十一世纪生活在虹口区的人的视角也去写一个呢？这些年的写作和舞台经历让我对于不同文本间微妙的区别有了更深刻的理解。写完这个小说，我又将它改成了一个独幕剧，我发现它变成了一个 3D 的截然不同于小说的故事。我觉得每一个阶段的作品都会因为作者自身的生活、经验、恐惧、渴望、失落……而呈现出不同的样貌，我经过，我接受它，然后继续去冒险。

有一回听 podcast，听到一个在美国念导演 MFA 的人说，教授给她制定了繁杂的任务，没日没夜的排练，就是为了让她拥有一种"肌肉的记忆"。我觉得对于写作的人来说，虽然工作方式和导演不同，但同样需要这种所谓的肌肉记忆，保持规律和克制，最终让艺术成为自己身体里的一种属性。一个故事，从动笔开始写，它就有了自己的发展，它会和我最开始的目标有偏离，它会失控。但这也是写小说吸引人的地方。

稍微接触一下这个行业，不难发现，这里面的人能清晰地被分类。有人成了奋笔疾书的匠人，有人拧毛巾似的拧着自己，期盼能拧出些水来。当然，还有越来越多的人愿意将昨日见闻复述于纸面之上，兴冲冲地奔向那个绿草地，我倒是愿意留在这个荒芜的不毛之地，因为未知的东西更让我感到兴奋。我们都知道最后那重重一击迟早都会来，只有保持长久的紧张感，才能以最温柔地方式面对它。